U.G.E. 10|18
12, avenue d'Italie - PARIS XIIIe

Du même auteur
dans la collection 10/18

L'ANGE NOIR, n° 2329
FEMME DE PORTO PIM, n° 2155
LE FIL DE L'HORIZON/DIALOGUES MANQUES, n° 2112
LE JEU DE L'ENVERS, n° 2064
PETITS MALENTENDUS SANS IMPORTANCE, n° 1999

NOCTURNE INDIEN

PAR

ANTONIO TABUCCHI

Traduit de l'italien
par Lise CHAPUIS

10|18

CHRISTIAN BOURGOIS ÉDITEUR

Si vous désirez être régulièrement tenu au courant
de nos publications, écrivez-nous :
Éditions 10/18
12, avenue d'Italie
75627 Paris Cedex 13

Titre original:
Notturno Indiano

ISBN-2-264-01099-1

« Les gens qui dorment mal apparaissent toujours plus ou moins coupables : que font-ils ? Ils rendent la nuit présente. »

Maurice BLANCHOT.

Note

Ce livre n'est pas seulement une insomnie, c'est aussi un voyage. L'insomnie appartient à qui a écrit le livre, le voyage à qui l'a fait. Toutefois, étant donné que j'ai moi-même parcouru les lieux qu'a parcourus le héros de cette histoire, il m'a paru opportun d'en fournir un bref index. Je ne sais pas bien ce qui a contribué à faire naître cette idée : l'illusion, peut-être, qu'un répertoire topographique, avec la force que possède le réel, pourrait éclairer ce Nocturne dans lequel on cherche une Ombre ; ou bien la conjecture déraisonnable qu'un quelconque amateur de parcours illogiques pourrait, un jour, l'utiliser comme guide.

A.T.

Répertoire des lieux évoqués dans ce livre

1. Khajuraho Hotel. Suklaji Street, sans numéro, Bombay.
2. Breach Candy Hospital. Bhulabai Desai Road, Bombay.
3. *Taj Mahal Inter-Continental Hotel.* Gateway of India, Bombay.
4. Railway's Retiring Rooms. Victoria Station, Central Railway, Bombay. Nuit comprise dans le billet de chemin de fer ou dans L'Indrail Pass.
5. *Taj Coromandel Hotel.* 5 Nungambakkam Road, Madras.
6. Theosophical Society. 12 Adyar Road, Adyar, Madras.
7. Autobus-Stop. Route Madras-Mangalore, à 50 km environ de Mangalore, localité inconnue.
8. Arcebispado e Colégio de S. Boaventura. Route Calangute-Panaji, Velha Goa, Goa.
9. *Zuari Hotel.* Swatantrya Path, sans numéro, Vasco da Gama, Goa.
10. Plage de Calangute, à 20 km environ de Panaji, Goa.
11. *Mandovi Hotel.* 28 Bandodkar Marg, Panaji, Goa.
12. *Oberoi Hotel.* Bogmalo Beach, Goa.

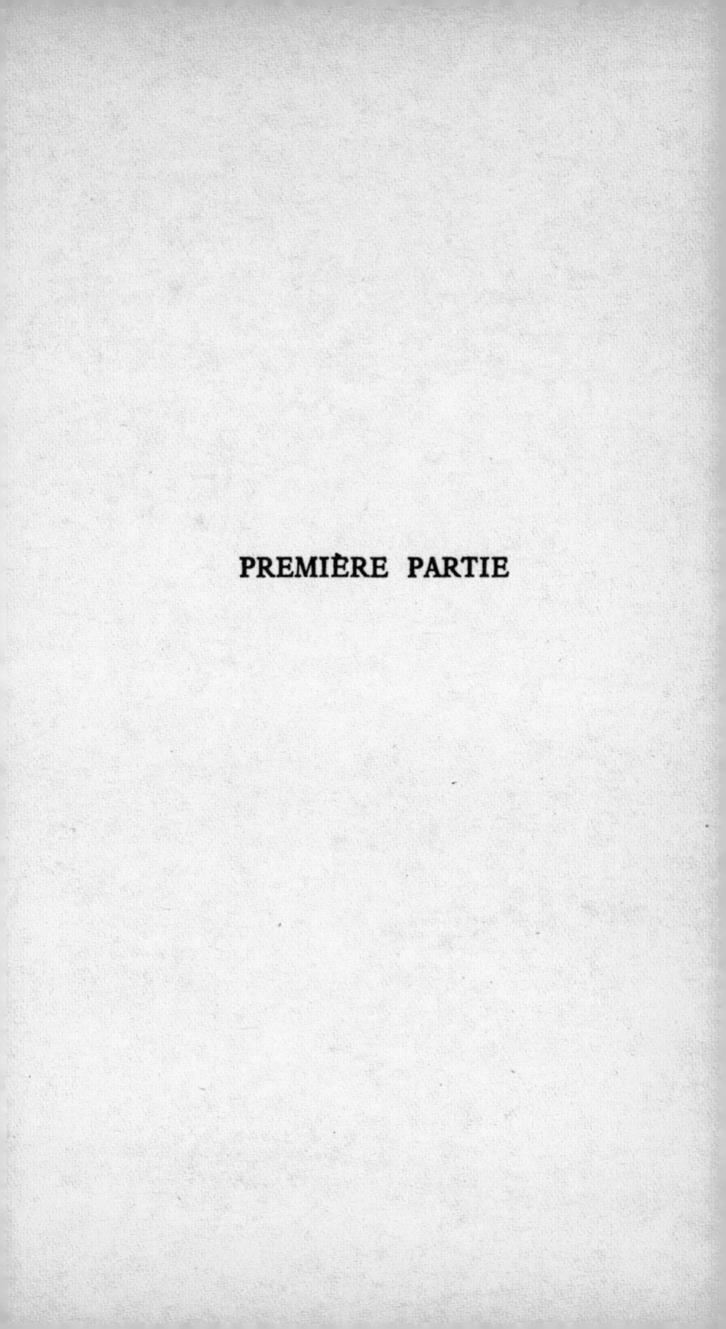

PREMIÈRE PARTIE

I

Le chauffeur du taxi portait le bouc, une résille sur les cheveux, et une petite natte retenue par un ruban blanc. Je me dis que c'était un *Sikh*, parce que mon guide les décrivait exactement ainsi. Mon guide touristique avait pour titre : *India, a travel survival kit*, je l'avais acheté à Londres plus par curiosité que pour un autre motif, car il fournissait sur l'Inde des renseignements pour le moins insolites et apparemment superflus. C'est seulement plus tard que je devais me rendre compte de son utilité.

L'homme roulait trop vite à mon gré et klaxonnait avec férocité. J'avais l'impression qu'il frôlait délibérément les piétons, avec un sourire indéfinissable que je trouvais déplaisant. Il portait un gant noir à la main droite, et cela aussi me déplut. Quand il s'engagea sur Marine Drive, il parut se calmer et prit tranquillement sa place dans une file de voitures, du côté de la mer. De sa main gantée, il désigna les palmiers du front de mer et la courbe du golfe. « Voilà Trombay », dit-il, « et devant nous il y a l'île d'Elephanta, mais on ne la voit pas. Je suis sûr que vous voudrez la visiter, les bateaux partent toutes les heures de la Gateway of India. »

Je lui demandai pourquoi il passait par Marine Drive. Je ne connaissais pas Bombay, mais j'essayais de suivre son trajet sur le plan que j'avais sur les genoux. Mes points de repère étaient Malabar Hill et le Chor, le marché aux Voleurs. Mon hôtel se trouvait entre ces deux points, et pour y aller il n'y avait pas à passer par Marine Drive. Nous étions en train de rouler dans la direction opposée.

« L'hôtel que vous avez indiqué se trouve dans un quartier misérable », dit-il sur un ton affable, « et la marchandise y est de mauvaise qualité, les touristes qui viennent à Bombay pour la première fois tombent souvent dans des endroits peu recommandables, je vous conduis à un hôtel plus indiqué pour un monsieur comme vous. » Il cracha par la fenêtre et me fit un clin d'œil. « Et où la marchandise est de première qualité. » Un sourire visqueux et complice s'étala sur son visage, et cela me plut encore moins.

« Arrêtez-vous ici », dis-je, « tout de suite. »

Il se retourna et me regarda d'un air servile. « Mais ici je ne peux pas », dit-il, « il y a de la circulation. »

« Alors je descends quand même », dis-je en ouvrant la portière que je tenais d'une main ferme.

Il freina brusquement et commença à débiter une litanie dans une langue qui devait être du marathi. Il avait l'air furieux, et les paroles qui sifflaient entre ses dents n'étaient sans doute pas des plus aimables, mais cela me laissa complètement indifférent. Je n'avais qu'une petite valise que j'avais gardée avec moi, et il n'eut même pas besoin de sortir de la voiture pour me donner mes bagages. Je lui laissai un billet de cent roupies et descendis sur l'immense trottoir de Marine Drive : sur la plage il y avait une fête religieuse, ou une foire peut-être, et une foule énorme qui se pressait devant quelque chose que je ne réussis pas à distinguer, sur le bord de mer traînaient des vagabonds allongés sur le parapet, des gamins qui vendaient des babioles, des mendiants. Il y avait aussi une file de cyclo-pousses à moteur, je sautai dans une espèce de caisse jaune accrochée à une mobylette en criant l'adresse de mon hôtel au nabot qui conduisait. Il appuya sur le démarreur et partit à plein gaz, en se faufilant au milieu des voitures.

Le « Quartier des Cages » était bien pire que je ne l'avais imaginé. Je le connaissais par certaines photos d'un photographe célèbre et je me croyais prêt à affronter la misère humaine, mais les photos enferment le visible dans un rectangle. Le visible sans cadre, c'est toujours autre chose. Et puis ce visible-là avait une odeur trop forte. Ou plutôt de multiples odeurs.

Quand nous entrâmes dans le quartier, le jour déclinait et, le temps de parcourir une rue, la nuit tomba brusquement, comme toujours sous les Tropiques. La plupart des constructions du « Quartier des Cages » sont faites de bois et de nattes. Les prostituées se tiennent dans des cahutes de planches mal jointes, la tête sortant d'une ouverture très étroite. Certaines de ces cahutes étaient à peine plus grandes qu'une guérite de sentinelle. Il y avait aussi des baraques et des tentes faites de loques, boutiques ou installations destinées à d'autres activités commerciales, éclairées par des lampes à pétrole, devant lesquelles s'attardaient des groupes de personnes. Mais l'hôtel *Khajuraho*, lui, avait une petite enseigne lumineuse, et était situé presque à l'angle d'une rue où les constructions étaient en dur. Le hall, si on peut l'appeler ainsi, avait l'air louche, certes, mais pas sordide. C'était une petite pièce plongée dans la pénombre, avec un comptoir haut comme ceux des pubs anglais, de chaque côté de ce comptoir, il y avait deux abat-jour rouges, et derrière, une femme âgée. Elle avait un sari voyant et les ongles vernis en bleu ; on aurait pu la prendre pour une Européenne, malgré le signe qui était peint sur son front, un de ces nombreux signes que portent les femmes indiennes. Je lui fis voir mon passeport et lui dis que j'avais réservé par télégramme. Elle acquiesça d'un geste et se mit à recopier mon état civil avec un empressement ostensible, puis elle me présenta la fiche pour que je la signe.

« Avec ou sans salle de bains ? » me demanda-t-elle, et elle m'indiqua les prix.

Je pris la chambre avec salle de bains. Il me sembla que la réceptionniste avait un léger accent américain, mais je n'approfondis pas la question.

Elle m'attribua une chambre et me tendit la clef. Le porte-clefs était en celluloïd transparent avec, à l'intérieur, une décalcomanie dans le goût de l'hôtel. « Voulez-vous dîner ? » me demanda-t-elle. Elle me regardait d'un air suspicieux. Je compris que l'endroit n'était pas fréquenté par les Occidentaux. Sans aucun doute elle se demandait ce que je faisais là, moi qui arrivais presque sans bagage après avoir télégraphié de l'aéroport.

Je lui dis que oui. La chose ne m'attirait pas particulièrement, mais j'avais très faim et il me semblait que ce n'était pas le moment de me mettre à traîner dans le quartier.

« Le dining-room ferme à huit heures », dit-elle, « après huit heures, nous servons dans les chambres. »

Je lui dis que je préférais dîner en bas, elle me précéda jusqu'à un rideau à l'autre bout du vestibule et j'entrai dans une petite salle voûtée aux murs peints de couleur sombre, où il y avait des tables basses. Les tables étaient presque toutes libres, et la lumière très faible. Le menu promettait une quantité de plats, mais ensuite, en questionnant le serveur, j'appris que ce soir-là précisément tout était terminé. Il ne restait que le numéro quinze. Je dînai rapidement de riz et de poisson, bus une bière tiède et retournai dans le hall. La réceptionniste était encore perchée sur son siège et semblait plongée dans une occupation absorbante : elle disposait des petites pierres colorées sur une sorte de miroir. Sur le divan, dans l'angle près de la porte d'entrée, étaient assis deux jeunes gens au teint très sombre, vêtus à l'occidentale, avec des pantalons à pattes d'éléphant. Ils parurent ne pas remarquer ma présence, mais je me sentis tout de suite mal à l'aise. Je restai debout devant le comptoir en attendant qu'elle parlât la première. Elle parla. Elle se mit à énoncer des chiffres d'une voix neutre et détachée, mais je ne compris pas très bien de quoi il s'agissait et la priai de répéter. C'était une liste de prix. Les seuls chiffres que je compris étaient le premier et le dernier : de treize à quinze ans trois cents roupies, plus de cinquante ans cinq roupies.

« Les filles sont dans la petite salle au premier étage », conclut-elle.

Je sortis la lettre de ma poche et lui fis voir la signature. Je me souvenais parfaitement du nom, mais je préférais le lui montrer écrit en toutes lettres, pour qu'il n'y eût pas de malentendu. « Vimala Sar », dis-je, « je veux une fille qui s'appelle Vimala Sar. »

Elle jeta un bref coup d'œil vers les deux jeunes assis sur le divan. « Vimala Sar ne travaille plus ici », dit-elle, « elle est partie. »

« Où est-elle allée ? » demandai-je.

« Je ne sais pas », répondit-elle, « mais nous avons des filles plus belles qu'elle. »

La chose ne s'annonçait pas très bien. Du coin de l'œil il me sembla voir les deux jeunes gens faire un léger mouvement, mais peut-être était-ce seulement une impression.

« Trouvez-la-moi », dis-je rapidement, « j'attends dans ma chambre. » Par bonheur, j'avais dans la poche deux billets de vingt dollars. Je les mis au milieu de ses petites pierres colorées et repris ma valise. Alors que je montais l'escalier, j'eus une soudaine inspiration, dictée par la peur. « Mon ambassade sait que je suis ici », dis-je à voix haute.

La chambre semblait propre. Elle était peinte en vert et sur les murs, il y avait des gravures ; elles représentaient les sculptures érotiques de Khajuraho, me sembla-t-il, mais je n'avais pas tellement envie de m'en assurer. A côté du lit très bas, il y avait un fauteuil déchiré et un petit tas de coussins aux couleurs vives. Sur la table de nuit traînaient quelques objets de forme évocatrice. Je me déshabillai et pris du linge propre. La salle de bains était un réduit, avec sur la porte une affiche qui représentait une blonde chevauchant une bouteille de Coca-Cola. L'affiche était jaunie et piquée de taches d'insectes, la blonde avait les cheveux à la Marilyn Monroe, style années cinquante, et cela renforçait encore son caractère incongru. A la douche il manquait la pomme, il n'y avait que le tube sortant du mur d'où jaillissait un jet d'eau à hauteur de la tête. Malgré cela me laver me parut la chose la plus voluptueuse du monde : j'avais sur le dos la fatigue de huit heures d'avion, de trois heures de station à l'aéroport et de la traversée de Bombay.

Je ne sais pas combien de temps je dormis. Peut-être deux heures, peut-être plus. Quand les petits coups frappés à la porte me réveillèrent, je me levai machinalement pour aller ouvrir, sans réaliser tout de suite où je me trouvais. La fille entra dans un bruissement.

Elle était petite et portait un joli sari. Elle suait, et le maquillage coulait au coin de ses yeux. Elle dit : « Bonsoir, monsieur, je suis Vimala Sar. » Elle resta debout au milieu de la chambre, les yeux baissés, les bras le long du corps, comme pour me laisser le loisir de l'examiner.

« Je suis un ami de Xavier », dis-je.

Elle leva les yeux et je lus une grande stupeur sur son visage. J'avais préparé sa lettre sur la table de nuit. Elle la regarda et se mit à pleurer.

« Pourquoi est-ce qu'il s'est retrouvé dans cet endroit ? » demandai-je. « Qu'est-ce qu'il faisait ici ? Où est-il maintenant ? »

Elle commença à sangloter tout bas et je compris que j'avais posé trop de questions.

« Calmez-vous », dis-je.

« Quand il a su que je vous avais écrit, il est entré dans une colère folle », dit-elle.

« Et pourquoi m'avez-vous écrit ? »

« Parce que j'avais trouvé votre adresse sur l'agenda de Xavier », dit-elle, « je savais que vous étiez très amis autrefois. »

« Pourquoi s'est-il mis en colère ? »

Elle se mit une main devant la bouche comme pour s'empêcher de pleurer. « Dans les derniers temps il était devenu méchant », dit-elle, « il était malade. »

« Mais qu'est-ce qu'il faisait ? »

« Il faisait des affaires », dit-elle, « je ne sais pas, il ne me racontait rien, il n'était plus gentil. »

« Quel genre d'affaires? »

« Je ne sais pas », répéta-t-elle, « il ne me racontait rien, quelquefois il ne disait rien pendant des jours et des jours, et puis tout d'un coup il était très agité et avait de grands accès de colère. »

« Quand est-il arrivé ici ? »

« L'année dernière », dit-elle, « il venait de Goa, il faisait des affaires avec eux, et puis il est tombé malade. »

« Qui, eux ? »

« Ceux de Goa », dit-elle, « de Goa, je ne sais pas. »

Elle s'assit sur le petit divan à côté du lit, elle ne pleurait plus maintenant, et paraissait plus calme. « Prenez à boire », dit-elle, « dans la petite armoire il y a des liqueurs, la bouteille coûte cinquante roupies. »

J'allai jusqu'à l'armoire et pris une petite bouteille pleine d'une liqueur jaune, une liqueur de mandarine. « Mais qui étaient ces gens de Goa », insistai-je, « essayez de vous rappeler quelque chose, le nom au moins ? »

Elle secoua la tête et recommença à pleurer. « Ceux de Goa », dit-elle, « de Goa, je ne sais pas. Il était malade », répéta-t-elle.

Elle fit une pause et soupira profondément. « Quelquefois il paraissait indifférent à tout », dit-elle, « même à moi. La seule chose qui l'intéressait un peu, c'étaient les lettres de Madras, mais le jour d'après il retombait dans le même état. »

« Quelles lettres ? »

« Les lettres de Madras », dit-elle avec ingénuité, comme si c'était une information suffisante en soi.

« Mais de qui ? », insistai-je, « qui est-ce qui lui écrivait ? »

« Je ne sais pas », dit-elle, « une société, je ne me souviens plus, il ne me les a jamais fait lire. »

« Et lui, il répondait ? » demandai-je encore. Vimala resta pensive. « Oui, il répondait, je crois que oui, il passait des heures à écrire. »

« Je vous en prie », dis-je, « essayez de faire un effort, qu'est-ce que c'était, cette société ? »

« Je ne sais pas », dit-elle, « c'était une société d'études, je crois, je ne sais pas, monsieur. » Elle fit une autre pause et ajouta : « Il était bon, sa volonté était bonne, mais sa nature avait un destin sombre. »

Elle tenait les mains croisées, elle avait les doigts longs et beaux. Puis elle me regarda avec une expression de soulagement, comme si un souvenir lui était revenu. « Theosophical Society », dit-elle. Et pour la première fois elle sourit.

« Ecoutez », lui dis-je, « racontez-moi tout sans vous presser, tout ce dont vous vous souvenez, tout ce que vous pouvez me dire. »

Je lui servis un autre verre. Elle but et commença à raconter. Ce fut un récit long, prolixe, plein de détails. Elle me parla de leur histoire, des rues de Bombay, des sorties à Elephanta pour les fêtes. Et puis encore des après-midi au Victoria Garden, allongés sur l'herbe, des bains à Chowpatty Beach, sous les premières pluies de la mousson. Je sus ainsi comment Xavier avait appris à rire, et ce qui le faisait rire ; et combien il aimait les couchers de soleil sur la mer d'Oman, quand ils se promenaient sur la plage au crépuscule. C'était une histoire dont elle avait soigneusement élagué les tristesses et les misères. C'était une histoire d'amour.

« Xavier avait écrit beaucoup de choses », dit-elle, « et puis un jour, il a tout brûlé. C'était ici, dans cet hôtel, il a pris une cuvette de cuivre et il a tout brûlé dedans. »

« Pourquoi ? » demandai-je.

« Il était malade », dit-elle, « sa nature avait un destin sombre. »

Quand Vimala partit, la nuit devait toucher à sa fin. Je ne regardai pas l'heure. Je tirai les rideaux et m'allongeai sur le lit. Au moment où j'allais m'endormir, un cri lointain me parvint. Peut-être était-ce une prière, ou une invocation au jour nouveau qui se levait.

II

« Comment s'appelait-il ? »

« Il s'appelait Xavier », répondis-je.

« Comme le missionnaire ? » demanda-t-il. Et il ajouta ensuite : « Il n'est pas anglais, n'est-ce pas ? »

« Non », répondis-je, « il est portugais, mais il n'est pas venu en tant que missionnaire, c'est un Portugais qui s'est perdu en Inde. »

Le médecin hocha la tête en signe d'approbation. Il avait une demi-perruque brillante qui changeait de place chaque fois qu'il remuait la tête, comme une calotte de caoutchouc. « En Inde beaucoup de gens se perdent », dit-il, « c'est un pays qui est fait exprès pour cela. »

Je dis : « En effet. » Et je le regardai, et lui aussi il me regarda d'un air absent, comme si sa présence était due au hasard, comme si tout était dû au hasard, parce qu'il devait en être ainsi.

« Vous connaissez également son nom ? » demanda-t-il, « cela pourrait être utile. »

« Janata Pinto », dis-je, « il avait de lointaines origines indiennes, je crois qu'un de ses ancêtres était de Goa, c'est du moins ce qu'il disait. »

Le médecin fit un geste qui semblait signifier : cela suffit ; mais ce n'était pas ce qu'il voulait dire, évidemment.

« Il y a bien des archives », dis-je, « du moins je l'espère. »

Il sourit d'un air coupable et malheureux. Il avait les dents très blanches, avec un trou à la rangée du haut. « Des archives... », murmura-t-il. Tout à coup son visage prit une expression dure, tendue. Il me regarda d'un air sévère, presque méprisant. « Vous êtes à l'hôpital de Bombay », dit-il d'un ton sec, « abandonnez vos critères européens, c'est ici un luxe insultant. »

Je me tus, et lui aussi demeura silencieux. De la poche de sa blouse, il tira un étui de paille et prit une cigarette. Derrière son bureau, sur le mur, il y avait une grosse pendule. Elle marquait sept heures, elle était arrêtée. Je le regardai, et il comprit ma pensée. « Il y a si longtemps qu'elle est arrêtée », dit-il, « de toute façon il est minuit. »

« Je sais », dis-je, « je vous attendais depuis huit heures, le médecin de jour m'a dit que vous étiez le seul qui pouvait peut-être m'aider, il dit que vous avez de la mémoire. »

Il sourit de nouveau, de son sourire triste et coupable, et je compris que j'avais encore commis une maladresse, qu'avoir une bonne mémoire n'était pas un privilège dans un endroit comme celui-ci.

« C'était un ami à vous ? »

« D'une certaine façon », dis-je, « à une époque. »

« Quand a-t-il été hospitalisé ? »

« Il y a presque un an, je crois, à la fin de la mousson. »

« Un an, c'est beaucoup », dit-il. Et il poursuivit : « La mousson, c'est le plus mauvais moment, il en vient tellement. »

« J'imagine », répondis-je.

Il se prit la tête entre les mains, comme s'il réfléchissait ou comme s'il était très fatigué. « Vous ne pouvez pas imaginer », dit-il. « Vous avez une photo de lui ? »

C'était une question simple et pratique, mais j'hésitai au moment de répondre, parce que je sentis à mon tour le poids de la mémoire et, en même temps, ses déficiences. Que se rappelle-t-on d'un visage, au fond ? Non, je n'avais pas de photo, j'avais seulement mon souvenir : et mon souvenir n'appartenait qu'à moi, je ne pouvais pas le décrire, c'était l'expression que je conservais, moi, du visage de Xavier. Je fis un effort et dis : « C'est un homme de ma taille, maigre, aux cheveux raides, il a à peu près mon âge, et il a parfois une expression comme la vôtre, docteur, c'est-à-dire qu'il a l'air triste quand il sourit. »

« Ce n'est pas une description très précise », dit-il, « mais de toute façon cela ne change rien, je ne me rappelle aucun Janata Pinto, du moins pour le moment. »

Nous nous trouvions dans une pièce très grise, dépouillée. Contre le mur du fond, il y avait un grand bac en ciment, une sorte d'évier. Il était plein de feuilles de papier. A côté de ce bac, il y avait une longue table, couverte de papiers elle aussi. Le médecin se leva et alla au fond de la pièce. J'eus l'impression qu'il boitait. Il se mit à fouiller dans le tas de papiers qui était sur la table. De loin, il me sembla que c'étaient des feuilles de cahiers et des bouts de papier marron, du papier d'emballage.

« Ce sont mes archives », dit-il, « il n'y a que des noms. »

Je restai assis en face du bureau, et regardai les quelques objets qui étaient posés dessus. Il y avait une petite boule de verre avec à l'intérieur le Pont de Londres en miniature, et une photo encadrée où l'on voyait une maison qui semblait être un chalet suisse. Cela me parut absurde. A l'une des fenêtres du chalet, on distinguait un visage féminin, mais la photo était passée et les contours étaient flous.

« Ce n'est pas un drogué, n'est-ce pas ? » me demanda-t-il du fond de la pièce. « Les drogués, nous les refusons. »

Je ne dis rien et secouai la tête. « Sans doute pas », répondis-je ensuite, « je ne crois pas, je ne sais pas. »

« Mais comment savez-vous qu'il est venu à l'hôpital, vous en êtes sûr ? »

« C'est une prostituée de l'hôtel *Khajuraho* qui me l'a dit, il habitait là-bas l'année dernière. »

« Et vous ? » demanda-t-il, « vous habitez là-bas vous aussi ? »

« J'y ai dormi la nuit dernière, mais demain je changerai, j'essaie de ne pas rester plus d'une nuit dans le même hôtel, quand c'est possible. »

« Pourquoi ? » me demanda-t-il d'un air soudain soupçonneux. Il avait une liasse de papiers dans les bras et me regardait par-dessus ses lunettes.

« Parce que c'est comme ça », dis-je. « Cela me plaît de changer toutes les nuits, je n'ai que cette petite valise. »

« Et pour demain, vous avez déjà choisi ? »

« Pas encore », dis-je. « Je crois que j'ai envie d'un hôtel très confortable, peut-être même un hôtel de luxe. »

« Vous pourriez aller au *Taj Mahal* », dit-il, « c'est l'hôtel le plus fastueux de toute l'Asie. »

« Ce n'est peut-être pas une mauvaise idée », répondis-je.

Il plongea les bras dans le bac, au milieu des papiers. « Que d'hommes », dit-il. Il s'était assis sur le bord de l'évier et essuyait ses lunettes. Il se frotta les yeux avec son mouchoir, comme s'ils étaient très fatigués ou irrités. « De la poussière », dit-il.

« Le papier ? » dis-je.

Il baissa les yeux, me tourna le dos. « Le papier », dit-il, « les hommes ».

De loin nous parvint un bruit sourd de ferraille, on aurait dit un bidon qui rebondissait dans les escaliers. « De toute façon, il n'y est pas », dit-il en laissant retomber toutes les feuilles, « je crois qu'il est inutile de le chercher au milieu de tous ces noms. »

Instinctivement, je me levai. Le moment est venu de prendre congé, me dis-je, voilà ce qu'il était en train de me faire comprendre : il fallait que je m'en aille. Mais il parut ne s'apercevoir de rien, et se dirigea vers une petite armoire métallique qui, dans des temps très anciens, avait dû être peinte en blanc. Il fouilla dedans et prit des médicaments qu'il glissa hâtivement dans les poches de sa blouse, j'avais l'impression qu'il les prenait presque au hasard, sans les choisir. « S'il est encore ici, la seule façon de le trouver, c'est d'aller à sa recherche », dit-il, « il faut que je fasse ma visite, si vous voulez, vous pouvez me suivre. » Il se dirigea vers la porte et l'ouvrit. « Cette nuit, je ferai une visite plus longue que d'habitude, mais il se peut que vous ne croyiez pas nécessaire de m'accompagner. »

Je me levai et le suivis. « Je crois que c'est nécessaire », dis-je. « Puis-je emporter ma valise ? »

Le vestibule sur lequel donnait la porte était un hall hexagonal de chaque côté duquel partait un couloir. Il était encombré de chiffons, de sacs, de draps gris. Certains avaient des taches violacées et brunes. Nous prîmes le premier couloir à droite ; au-dessus de la porte il y avait une plaque écrite en hindi, certaines des lettres étaient tombées, laissant une trace claire au milieu des lettres rouges.

« Ne touchez à rien », dit-il, « et ne vous approchez pas trop près des malades. Vous, les Européens, vous êtes très fragiles. »

Le couloir était très long, peint d'un bleu maussade. Le sol était noir de cafards qui éclataient sous nos pas, malgré nos efforts pour ne pas les écraser. « Nous les exterminons », dit le médecin, « mais un mois après il y en a de nouveau, les murs sont imprégnés de larves, il faudrait démolir l'hôpital. »

Le couloir se terminait dans un nouveau vestibule identique au premier, mais étroit et sans lumière, fermé par un rideau.

« Que faisait M. Janata Pinto ? » me demanda-t-il en écartant le rideau du vestibule.

J'eus envie de dire : « traducteur simultané », et c'est peut-être ce que j'aurais dû dire. Mais je dis au contraire : « il écrivait des histoires ».

« Ah ! » fit-il, « attention, ici il y a une marche. De quoi elles parlaient ? »

« Eh bien », dis-je, « je ne saurais pas tellement comment vous expliquer, disons qu'elles parlaient de choses ratées, d'erreurs, l'une d'elles par exemple parlait d'un homme qui passe sa vie à rêver d'un voyage et le jour où il a enfin l'occasion de le faire, ce jour-là, il s'aperçoit qu'il n'a plus envie de le faire. »

« Et pourtant il est parti », dit le médecin.

« C'est ce qu'il semble », dis-je, « en effet. »

Le médecin laissa tomber le rideau derrière nous. « Là-dedans, il y a une centaine de personnes », dit-il, « je crains que ce ne soit pas pour vous un spectacle très agréable, ce sont les malades qui sont là depuis quelque temps, il se pourrait que votre ami soit parmi eux, bien que cela me semble peu probable. »

Je le suivis et nous entrâmes dans la plus vaste salle que j'aie jamais vue. Elle était à peu près aussi grande qu'un hangar, et tout le long des murs et sur trois files centrales, il y avait des lits, ou plutôt des grabats. Au plafond pendaient quelques ampoules blafardes, et je marquai un temps d'arrêt, car il régnait dans la pièce une odeur très forte. Accroupis à côté de la porte d'entrée, il y avait deux hommes vêtus de haillons qui s'éloignèrent à notre arrivée.

« Ce sont des intouchables », dit le médecin. « Ce sont eux qui s'occupent des besoins physiques des malades, il n'y a personne d'autre pour faire ce métier. L'Inde est ainsi faite. »

Dans le premier lit, il y avait un vieil homme. Il était complètement nu et très maigre. Il semblait mort, mais il avait les yeux grands ouverts et posa sur nous un regard sans expression. Il avait un sexe énorme, tout recroquevillé sur son ventre. Le médecin s'approcha de lui et lui toucha le front. Il me sembla qu'il lui glissait un médicament dans la bouche, mais je ne compris pas très bien parce que j'étais au pied du lit. « C'est un *sadhu* », dit le médecin, « ses organes génitaux sont consacrés au dieu, autrefois il était vénéré par les femmes stériles, mais il n'a jamais procréé de sa vie ».

Puis il se déplaça et je le suivis. Il s'arrêta devant chaque lit, pendant que je me tenais à l'écart et regardais le visage des malades. Auprès de certains, il s'arrêta plus longuement, murmurant quelques mots, distribuant des médicaments. Auprès de certains autres il ne resta que brièvement, se bornant à leur toucher le front. Les murs étaient maculés de taches rouges, à cause des crachats de *bétel*, et la chaleur était étouffante. Ou peut-être était-ce l'odeur trop forte qui donnait cette sensation d'étouffement. Au plafond, de toute façon, les ventilateurs étaient arrêtés. Ensuite le médecin fit demi-tour et je le suivis en silence.

« Il n'y est pas », dis-je, « parmi ceux-ci, il n'y est pas. »

De nouveau il écarta le rideau du vestibule avec la même courtoisie, et me céda le passage.

La chaleur est insupportable », dis-je, « et les ventilateurs ne marchent pas, c'est incroyable. »

« A Bombay, la tension est très basse la nuit », me répondit-il.

« Et pourtant vous avez un réacteur nucléaire à Trombay, j'ai vu la cheminée depuis le bord de mer. »

Il me sourit très faiblement. « Presque toute l'énergie est utilisée par les usines, et aussi par les hôtels de luxe et par le quartier de Marine Drive, ici nous devons nous contenter de ça. » Il se mit à marcher dans le couloir et prit la direction opposée à celle par laquelle nous étions arrivés. « L'Inde est ainsi faite », conclut-il.

« Vous avez fait vos études ici ? » lui demandai-je.

Il s'arrêta et me regarda, et il me sembla qu'un éclair de nostalgie brillait dans ses yeux. « J'ai fait mes études à Londres », dit-il, « et après j'ai fait une spécialité à Zurich. » Il sortit son étui de paille et prit une cigarette. « Une spécialité absurde, pour l'Inde. Je suis cardiologue, mais personne ici n'est malade du cœur. Il n'y a que vous, en Europe, qui mourez d'infarctus. »

« De quoi meurt-on ici ? » demandai-je.

« De tout ce qui n'est pas le cœur. Syphilis, tuberculose, lèpre, typhus, septicémie, choléra, méningite, pellagre, diphtérie et autres maladies. Mais ça me plaisait, à moi, d'étudier le cœur, ça me plaisait de comprendre ce muscle qui commande notre vie, comme ça. » Il fit un geste de la main, ouvrant et refermant son poing. « Peut-être que je croyais y découvrir quelque chose. »

Le couloir débouchait sur un petit jardin couvert, devant un pavillon bas en brique.

« Vous êtes croyant ? » demandai-je.

« Non », dit-il, « je suis athée. Etre athée, c'est la pire des malédictions, en Inde. »

Nous traversâmes le jardin et nous arrêtâmes devant la porte du pavillon.

« Là-dedans, il y a les incurables », dit-il, « il y a peu de chances que votre ami soit parmi eux. »

« Qu'est-ce qu'ils ont ? » demandai-je.

« Tout ce que vous pouvez imaginer », dit-il, « mais peut-être vaut-il mieux que vous vous en alliez. »

« Je crois moi aussi », dis-je.

« Je vous accompagne », dit-il.

« Non, ne vous dérangez pas, je vous en prie, je peux sans doute sortir par ce petit portail, il me semble qu'il donne sur la rue. »

« Je m'appelle Ganesh », dit-il, « comme le dieu joyeux à tête d'éléphant. »

Je lui dis moi aussi mon nom avant de m'éloigner. Le portail était à quelques pas, derrière un buisson de jasmin. Il était ouvert. Quand je me retournai pour le regarder, il parla encore. « Si je le trouve, je dois lui dire quelque chose ? »

« Non, s'il vous plaît, ne lui dites rien. »

Il souleva sa perruque, comme s'il s'agissait

d'un chapeau, et s'inclina légèrement. Le jour pointait et les gens, sur les trottoirs, se réveillaient. Certains étaient en train de rouler les nattes qui avaient servi à leur repos nocturne. La rue était envahie par les corbeaux qui sautillaient autour des bouses de vache. Près de l'escalier d'entrée, il y avait un taxi tout branlant, le chauffeur sommeillait, le visage appuyé contre la fenêtre.

« Au *Taj Mahal* », dis-je en montant.

III

Les seuls habitants de Bombay qui ne s'inquiètent pas des « conditions d'admission » en vigueur au *Taj Mahal* sont les corbeaux. Ils descendent lentement sur la terrasse de l'*Inter-Continental,* se prélassent sur les fenêtres *moghul* du bâtiment le plus ancien, se perchent sur les branches des manguiers du jardin, sautillent sur l'impeccable tapis d'herbe qui entoure la piscine. Ils iraient jusqu'au bord pour boire, ou bien ils piqueraient du bec le zeste d'orange des verres de martini, si un serviteur en livrée parfaitement zélé n'était là pour les chasser avec une batte de cricket, figurant d'un match absurde mis en scène par un artiste farfelu. Il faut faire attention aux corbeaux, car ils ont le bec très sale. La municipalité de Bombay a dû pourvoir de couvercles les énormes citernes d'eau de la ville : il est arrivé en effet que ces oiseaux, qui se chargent de réintroduire dans le « circuit vital » les cadavres que les Parsis exposent sur les Tours du Silence (ces tours sont nombreuses dans la zone de Malabar Hill), laissent tomber dans l'eau quelque gros morceau. Mais malgré ces mesures, la municipalité est loin d'avoir résolu le problème de l'hygiène : il reste le problème des rats, celui des insectes et celui des infiltrations des égouts. Il vaut mieux ne pas boire l'eau de Bombay. On ne peut le faire qu'au *Taj Mahal*, qui possède ses propres épurateurs et s'enorgueillit de son eau. Car le *Taj* n'est pas un hôtel : avec ses huit cents chambres, c'est une ville dans la ville.

Quand j'entrai dans cette ville, je fus reçu par un portier déguisé en prince indien, portant ceinture drapée et turban rouges, qui me guida jusqu'à la réception toute luisante de cuivres où il y avait d'autres employés, également en costume de *maharaja*. Sans doute pensèrent-ils que j'étais déguisé moi aussi, mais qu'au contraire d'eux, j'étais un riche déguisé en pauvre, et ils se donnèrent beaucoup de mal pour me trouver une chambre dans l'aile noble du bâtiment, celle où l'on a des meubles anciens et la vue sur la Gateway of India. Sur le moment je fus tenté de leur dire que je n'étais pas là par goût de l'esthétique mais seulement pour dormir dans un confort éhonté, et qu'ils pouvaient m'installer, s'ils le voulaient, dans une chambre aux meubles ignoblement modernes, que même la tour *Inter-Continental* me convenait parfaitement. Mais il me sembla cruel de leur causer cette déception. La suite des paons, de toute façon, je la refusai : c'était trop pour une personne seule, mais bien sûr ce n'était pas une question de prix, spécifiai-je pour rester dans le registre que j'avais adopté depuis le début.

La chambre était imposante, ma petite valise m'avait précédé par des voies mystérieuses et était posée sur un tabouret de corde, la baignoire était déjà pleine d'eau et de mousse, je m'y plongeai puis m'enveloppai dans une serviette en lin, les fenêtres donnaient sur la mer d'Oman, le jour était presque levé maintenant, avec une lumière rosée qui colorait la plage, au-dessous du *Taj Mahal* la vie de l'Inde reprenait son fourmillement, les lourdes tentures de velours vert ondulaient, douces et souples comme un rideau de théâtre, je les fis glisser sur le paysage et la chambre ne fut plus que pénombre et silence, le ronflement paresseux et rassurant du grand ventilateur me berça quelques instants encore, j'eus à peine le temps de trouver ce luxe superflu étant donné la parfaite climatisation de la chambre, et j'arrivai sans transition devant une vieille chapelle sur une colline méditerranéenne, la chapelle était blanche et il faisait chaud, nous avions très faim et Xavier, en riant, tirait d'un panier des sandwiches et du vin frais, Isabel riait elle aussi pendant que Magda étendait une couverture sur l'herbe, loin au-dessous de nous il y avait le bleu de la mer, et un âne solitaire lambinait à l'ombre de la chapelle. Mais ce n'était pas un rêve, c'était un souvenir de choses bien réelles : je regardais à travers l'obscurité de la chambre et je voyais cette scène lointaine qui ressemblait à un rêve parce que j'avais dormi très longtemps et que ma montre indiquait quatre heures de l'après-midi. Je demeurai longtemps allongé en pensant à ces moments-là, je vis défiler des paysages, des visages, des vies. Je me remémorai les balades en voiture le long des pinèdes, les noms que nous nous étions donnés, la guitare de Xavier et la voix aiguë de Magda qui annonçait sur un ton à la fois sérieux et ironique, en imitant les camelots des foires : mesdames et messieurs, un peu d'attention s'il vous plaît, nous avons avec nous le Rossignol italien ! Et moi je me prêtais au jeu et j'attaquais de vieilles chansons napolitaines en imitant les trémolos démodés des chanteurs d'autrefois, pendant que les autres riaient et applaudissaient. Dans le groupe, j'étais Roux, et je m'étais résigné : c'était le début de Rouxinol, le rossignol en portugais. Mais dit comme cela, ce nom finissait par prendre un air exotique et il n'y avait vraiment pas de quoi se fâcher. Et puis les étés suivants défilèrent à leur tour. Magda en train de pleurer, pourquoi, pensai-je ? Etait-ce juste ? et Isabel, et ses illusions ? Et quand ces souvenirs commencèrent à avoir des contours aussi nets que les images d'un film projetées sur le mur, ils devinrent insupportables, je me levai et quittai la chambre.

Six heures du soir, c'est un peu trop tard pour déjeuner et un peu trop tôt pour dîner. Mais au *Taj Mahal*, disait mon guide, grâce à ses quatre restaurants, on peut manger à n'importe quelle heure. Au dernier étage de l'Apollo Bunder, il y avait *le Rendez-vous* [1], mais c'était vraiment trop intime. Et trop cher. Je fis une halte à l'*Apollo Bar* et choisis une table près de

1. En français dans le texte. *(N.d.T.)*

la baie vitrée de la terrasse d'où je voyais les premières lumières de la soirée ; le front de mer était une véritable guirlande ; je pris deux gin-tonics qui me mirent de bonne humeur et j'écrivis une lettre à Isabel. J'écrivis longuement, d'un seul jet, avec passion, et je lui racontai tout. Je lui parlai de ces jours lointains, et de mon voyage, et de la façon dont les souvenirs remontent à la surface avec le temps. Je lui dis des choses que je n'aurais jamais pensé lui dire, et quand je relus cette lettre, dans l'allégresse inconsciente de celui qui a bu à jeun, je me rendis compte qu'au fond elle était destinée à Magda, que c'était à elle que je l'avais écrite, même si je disais « Chère Isabel » ; ainsi donc je la chiffonnai et la laissai dans le cendrier, je descendis au rez-de-chaussée, entrai dans le *Tanjore Restaurant* et commandai un dîner somptueux, exactement comme l'aurait fait un prince déguisé en pauvre. Et lorsque j'achevai de dîner, il faisait nuit, le *Taj* commençait à s'animer et brillait de mille lumières, sur le gazon, près de la piscine les serviteurs en livrée étaient toujours là, prêts à repousser les corbeaux, je m'installai sur un divan au milieu de ce hall grand comme un terrain de football et me mis à regarder le luxe. Je ne sais qui a dit que le regard en soi comporte toujours un peu de sadisme. J'y pensai un moment mais cela ne me revint pas en mémoire, et pourtant je sentis qu'il y avait quelque chose de vrai dans cette phrase : et je regardai donc plus voluptueusement encore, avec la parfaite sensation de n'être que deux yeux qui regardaient pendant que moi j'étais ailleurs, sans savoir où exactement. Je regardai les femmes et les bijoux, les turbans, les fez, les voiles, les traînes, les habits de soirée, les musulmans et les millionnaires américains, les rois du pétrole et les serviteurs candides et silencieux : j'écoutai des rires, des phrases compréhensibles et incompréhensibles, des chuchotements, des bruissements. Et cela ne cessa pas un seul instant de toute la nuit, presque jusqu'à l'aube. Et puis, quand les voix se firent plus rares, quand les lumières s'affaiblirent, j'appuyai la tête contre les coussins du divan et m'endormis. Pas pour bien longtemps, car le premier bateau pour Elephanta part à sept heures, juste devant le *Taj* : et sur ce bateau, il y avait un couple de Japonais d'un certain âge, appareil photo en bandoulière, et j'y étais moi aussi.

IV

« Qu'est-ce que nous faisons dans ces corps », dit le monsieur qui se préparait à s'étendre sur le lit à côté du mien.

Sa voix n'avait pas une nuance interrogative, peut-être n'était-ce pas une question, mais seulement une constatation, de toute façon, si c'était une question, je n'aurais pas pu y répondre. La lumière qui venait des quais de la gare était jaune et dessinait sur les murs décrépis son ombre maigre qui se déplaçait dans la pièce avec légèreté, avec prudence et discrétion, comme le font généralement les Indiens. Du lointain nous parvenait une voix lente et monotone, une prière peut-être, ou bien une plainte solitaire et sans espérance, une de ces plaintes qui n'expriment qu'elles-mêmes, sans rien demander. Il m'était impossible de la déchiffrer. L'Inde, c'était cela aussi : un univers de sons plats, indifférenciés, impossibles à distinguer.

« Peut-être que nous voyageons dedans », dis-je.

Il avait dû passer un certain temps depuis qu'il avait parlé, je m'étais perdu en considérations lointaines : quelques minutes de sommeil, peut-être. J'étais très fatigué.

Il dit : « Pardon, qu'avez-vous dit ? »

« Je parlais des corps », dis-je, « peut-être qu'ils sont comme des valises, nous nous transportons nous-mêmes. »

Au-dessus de la porte, il y avait une *veilleuse* bleue, comme dans les wagons des trains de nuit. Se mêlant à la lumière qui venait de la fenêtre, elle créait une lueur vert d'eau, une atmosphère d'aquarium. Je le regardai, et dans la lumière verdâtre, presque funèbre, je vis un profil anguleux au nez légèrement aquilin, et les mains posées sur la poitrine.

« Connaissez-vous Mantegna ? » lui demandai-je. Ma question était absurde elle aussi, mais pas plus que la sienne assurément.

« Non », dit-il, « c'est un Indien ? »

« C'est un Italien », dis-je.

« Je ne connais que des Anglais », dit-il, « les seuls Européens que je connaisse sont des Anglais. »

La plainte lointaine reprit avec plus d'intensité, elle était maintenant très aiguë, je pensai un instant qu'il s'agissait d'un chacal.

« C'est un animal », dis-je, « qu'en pensez-vous ? »

« Je croyais que c'était un de vos amis », répondit-il à voix basse.

« Non, non », dis-je, « je parlais de la voix qui vient de dehors, Mantegna est un peintre, mais je ne l'ai pas connu, il est mort depuis plusieurs siècles. »

L'homme respira profondément. Il était vêtu de blanc, mais il n'était pas musulman, cela, je le compris. « J'ai été en Angleterre », dit-il, « mais je parlais aussi le français, si vous préférez, nous pouvons parler français. » Sa voix était totalement neutre, à peu près comme s'il déclarait quelque chose au guichet d'une administration ; et cela, qui sait pourquoi, me troubla. « C'est un jaïn », dit-il au bout de quelques instants, « il pleure sur la méchanceté du monde. »

Je dis : « Ah ! bien sûr », parce que j'avais compris qu'il parlait maintenant de la plainte qui nous parvenait de loin.

« A Bombay, il n'y a pas beaucoup de jaïns », dit-il ensuite sur le ton que l'on emploie pour donner des explications à un touriste, « dans le Sud si, beaucoup encore. C'est une religion très belle et très stupide. » Il dit cela sans aucun mépris, toujours sur le ton neutre d'une déposition.

« Vous, qu'êtes-vous ? » demandai-je, « je vous prie d'excuser mon indiscrétion. »

« Je suis jaïn », dit-il.

L'horloge de la gare sonna minuit. La plainte lointaine cessa brusquement, comme si elle avait attendu que l'horloge donne l'heure. « Un autre jour a commencé », dit l'homme, « à partir de maintenant, c'est un autre jour. »

Je gardai le silence, ses affirmations n'appelaient pas de réponses. Quelques minutes passèrent, il me sembla que les lumières des quais avaient faibli. La respiration de mon compagnon s'était faite régulière et lente, comme s'il dormait. Quand il se remit à parler, j'eus une espèce de sursaut. « Moi, je vais à Vanarasi », dit-il, « et vous, dans quelle direction allez-vous ? »

« A Madras », dis-je.

« Madras », répéta-t-il, « oui, oui. »

« Je voudrais voir l'endroit où l'on dit que l'apôtre Thomas a subi son martyre, les Portugais y ont construit une église au seizième siècle, je ne sais pas ce qu'il en reste. Ensuite je dois aller à Goa, je vais consulter des archives dans une vieille bibliothèque, c'est pour cela que je suis venu en Inde. »

« C'est un pèlerinage ? » demanda-t-il.

Je dis que non. Ou plutôt que si, mais pas au sens religieux du terme. C'était tout au plus un itinéraire privé, comment dire ? je cherchais seulement des traces.

« Vous êtes catholique, je suppose », dit mon compagnon.

« Tous les Européens sont catholiques, en quelque sorte », dis-je. « Ou de toute façon chrétiens, c'est pratiquement la même chose. »

L'homme répéta l'adverbe que j'avais employé comme s'il le savourait. Il parlait un anglais très soigné, et je notai au passage qu'il avait cette façon de marquer de petites pauses, de traîner ou hésiter sur les conjonctions, caractéristique de certaines universités. « *Practically... Actually* », dit-il, « quels mots curieux, je les ai entendus si souvent en Angleterre, vous utilisez souvent ces mots-là, vous, les Européens. » Il fit une pause plus longue, mais je compris qu'il n'avait pas fini. « Je n'ai jamais réussi à comprendre si c'est par optimisme ou par pessimisme », reprit-il, « et vous, qu'est-ce que vous en pensez ? »

Je lui demandai de s'expliquer.

« Oh ! » dit-il, « il est difficile de s'expliquer plus clairement. Voilà, parfois, je me demande si c'est un mot qui traduit l'orgueil ou si au contraire il n'exprime que le cynisme. Et aussi une grande peur, peut-être. Vous comprenez ce que je veux dire ? »

« Je ne sais pas », dis-je, « ce n'est pas très facile. Mais peut-être le mot « pratiquement » ne signifie-t-il pratiquement rien. »

Mon compagnon se mit à rire. C'était la première fois qu'il riait. « Vous êtes très habile », dit-il, « vous avez eu raison de moi, et en même temps vous m'avez donné raison, *pratiquement.* »

Je ris moi aussi, et puis je dis aussitôt : « De toute façon, dans mon cas, c'est pratiquement de la peur. »

Nous gardâmes le silence un instant, puis mon compagnon me demanda s'il pouvait fumer. Il fouilla dans un sac qu'il avait près de son lit, et dans la chambre se répandit l'odeur de ces cigarettes indiennes, petites et parfumées, qui sont faites d'une seule feuille de tabac.

« Il y a des années, j'ai lu les Evangiles », dit-il, « c'est un livre très curieux. »

« Seulement curieux ? » demandai-je.

Il marqua un temps d'hésitation. « Plein d'orgueil aussi », dit-il, « soit dit sans méchanceté. »

« Je crains de ne pas bien comprendre », dis-je.

« Je parlais du Christ », dit-il.

L'horloge de la gare sonna minuit et demi. Je sentais le sommeil s'emparer de moi. Du parc qui s'étendait au-delà des quais nous parvint le croassement des corbeaux. « Vanarasi, c'est Bénarès », dis-je, « c'est une ville sainte, vous allez en pèlerinage vous aussi ? »

Mon compagnon éteignit sa cigarette et toussa légèrement. « J'y vais pour mourir », dit-il, « il me reste peu de jours à vivre. » Il arrangea le coussin sous sa tête. « Mais peut-être vaudrait-il mieux dormir », poursuivit-il, « nous n'avons pas beaucoup d'heures de sommeil devant nous, mon train part à cinq heures. »

« Le mien part peu après », dis-je.

« Oh ! ne craignez rien », dit-il, « l'employé viendra vous réveiller à temps. Je suppose que nous n'aurons plus l'occasion de nous revoir sous les apparences qui nous ont permis de faire connaissance, nos valises actuelles en quelque sorte. Je vous souhaite un bon voyage. »

« Bon voyage à vous aussi », répondis-je.

DEUXIÈME PARTIE

V

Mon guide affirmait que le meilleur restaurant de Madras était le *Mysore Restaurant* du *Coromandel*, et j'avais très envie de m'en assurer. A la boutique du rez-de-chaussée, j'achetai une chemise blanche, à la mode indienne, et un pantalon habillé. Je montai dans ma chambre et pris un bain prolongé pour me débarrasser de toutes les scories du voyage. Les chambres du *Coromandel* ont des meubles de style colonial, de bon goût pour de simples copies. Ma chambre donnait vers l'arrière de l'hôtel, sur un terrain jaunâtre entouré d'une végétation sauvage. C'était une pièce immense, avec deux grands lits recouverts de très beaux tissus. Au fond, près de la fenêtre, il y avait un secrétaire avec un tiroir central et trois autres tiroirs de chaque côté. Ce fut tout à fait par hasard que je choisis le dernier tiroir de droite pour y déposer mes papiers.

Je descendis finalement beaucoup plus tard que je ne l'aurais voulu, mais de toute façon le *Mysore* restait ouvert jusqu'à minuit. C'était un restaurant qui avait des baies vitrées donnant sur la piscine, et des tables rondes isolées par de petites cloisons de bambou peint en vert. Les abat-jour des lampes posées sur les tables diffusaient une lumière bleue, et cela créait une certaine atmosphère. Un musicien installé sur une estrade recouverte d'un tapis rouge jouait une musique d'ambiance très discrète. Le serveur me guida parmi les tables et se montra très empressé pour me conseiller les plats. Je m'accordai trois plats et bus du jus de mangue frais. Les clients étaient presque tous indiens, mais à la table voisine, il y avait deux messieurs, des Anglais, qui avaient l'air de professeurs et parlaient de l'art dravidien. Leur conversation était à la fois pédante et pertinente et, durant tout le repas, je m'amusai à contrôler sur le guide si les informations qu'ils se fournissaient réciproquement étaient exactes. De temps à autre, l'un des deux faisait des erreurs de chronologie, mais l'autre ne paraissait pas s'en apercevoir. C'est curieux, les conversations que l'on entend par hasard : je les aurais facilement pris pour de vieux collègues d'université, et c'est seulement quand l'un et l'autre annoncèrent qu'ils annuleraient leur avion du lendemain pour Colombo que je compris qu'ils s'étaient connus le jour même. En sortant, je fus tenté de m'arrêter à l'*English Bar* de l'entrée, mais je jugeai finalement que j'étais assez fatigué pour me passer d'alcool et je montai dans ma chambre.

Quand le téléphone sonna, j'étais en train de me laver les dents. Sur le moment, je crus que c'était la Theosophical Society, qui m'avait promis une confirmation par téléphone, mais en me dirigeant vers l'appareil j'écartai cette hypothèse, vu l'heure. Puis il me revint à l'esprit qu'avant le repas, j'avais informé la réception qu'un robinet de la baignoire fonctionnait mal. C'était bien la réception, en effet. « Je vous prie de m'excuser, monsieur, il y a une dame qui désire vous parler. »

« Pardon ? » répondis-je, la brosse à dents dans la bouche.

« Il y a une dame qui désire vous parler », répéta la voix du standardiste. J'entendis le déclic de l'appareil et une voix féminine, grave et ferme, dit : « Je suis la personne qui occupait la chambre avant vous, j'ai absolument besoin de vous parler, je suis dans le hall. »

« Si vous m'accordez cinq minutes, je vous rejoins à l'*English Bar* », dis-je, « il devrait être encore ouvert. »

« Je préfère monter », dit-elle sans me donner le temps de répliquer, « il s'agit d'une affaire extrêmement urgente. »

Quand elle frappa à la porte, j'avais à peine fini de me rhabiller. Je dis que la porte était ouverte, et elle ouvrit, en marquant un temps d'arrêt pour me regarder. Le couloir était dans l'ombre. Je vis seulement qu'elle était grande et portait un foulard sur les épaules. Elle entra et referma la porte derrière elle. J'étais assis dans un fauteuil, en pleine lumière, et je me levai. Je ne dis rien, j'attendis. Alors elle parla. Elle parla sans s'avancer dans la chambre, de la même voix grave et ferme qu'elle avait au téléphone.

« Je vous prie de m'excuser pour cette intrusion, cela vous paraîtra certainement très incorrect, mais malheureusement il y a des circonstances où l'on ne peut pas faire autrement. »

« Ecoutez », dis-je, « l'Inde est mystérieuse par définition, mais les énigmes ne sont pas mon fort, évitez-moi des efforts inutiles. »

Elle me regarda avec une expression de stupeur un peu exagérée. « J'ai simplement laissé dans votre chambre des affaires qui m'appartiennent », dit-elle avec calme. « Je suis venue les reprendre. »

« Je me doutais que vous reviendriez », dis-je, « mais franchement, je ne vous attendais pas si tôt, ou plutôt si tard. »

La femme me regarda d'un air encore plus stupéfait.

« Que voulez-vous dire ? » murmura-t-elle.

« Que vous êtes une voleuse », dis-je.

La femme regarda vers la fenêtre et enleva le foulard de ses épaules. Elle était belle, me sembla-t-il, on peut-être était-ce la lumière tamisée de l'abat-jour qui donnait à son visage cet air aristocratique et lointain. Elle n'était plus très jeune, et son corps avait beaucoup de grâce.

« Vous êtes bien catégorique », dit-elle. Elle se passa une main sur le visage, comme pour en chasser la fatigue, ou une pensée. Ses épaules eurent un léger frémissement. « Que signifie voler ? » demanda-t-elle.

Le silence retomba entre nous et je remarquai les gouttes qui tombaient une à une du robinet, de manière exaspérante. « J'ai prévenu avant le repas », dis-je, « et ils m'ont assuré qu'ils allaient le réparer tout de suite. C'est un bruit insupportable, je crains que cela ne m'empêche de dormir. »

Elle sourit. Elle s'était appuyée à la commode, un bras le long du corps, dans une attitude très lasse. « Je crois que vous devrez vous y habituer », dit-elle. « Moi, je suis restée ici une semaine et j'ai demandé des dizaines de fois qu'il soit réparé, et puis je me suis résignée. » Elle marqua un temps d'arrêt. « Vous êtes français ? »

« Non », répondis-je.

Elle me regarda, elle avait l'air exténué. « Je suis venue en taxi de Madurai », dit-elle, « j'ai voyagé toute la journée. » Elle se passa le foulard sur le front, comme un mouchoir. L'espace d'un instant, elle eut, me sembla-t-il, une expression désespérée. « L'Inde est horrible », dit-elle, « et les routes sont infernales. »

« Madurai, c'est très loin », répliquai-je, « pourquoi Madurai ? »

« J'allais à Trivandrum, et de là, je serais allée à Colombo. »

« Mais depuis Madras aussi, il y a un avion pour Colombo », lui fis-je remarquer.

« Je ne voulais pas prendre celui-là, justement », dit-elle, « j'avais mes raisons, vous les devinerez sans peine. » Elle eut un geste de lassitude. « De toute façon, maintenant, je l'ai manqué. »

Elle me regarda d'un air interrogateur, et je dis alors : « Tout est là où vous l'avez laissé, dans le dernier tiroir de droite. »

Le secrétaire était derrière elle ; c'était un

secrétaire de bambou, avec les angles en cuivre et un grand miroir dans lequel se reflétaient ses épaules nues. Elle ouvrit le tiroir et prit le paquet de documents reliés par un élastique.

« C'est trop idiot », dit-elle, « faire une chose pareille, et finir par tout laisser dans un tiroir ! J'ai gardé ça dans le coffre de l'hôtel pendant une semaine, et puis j'ai tout oublié ici en faisant mes valises. »

Elle me regarda comme si elle attendait de moi un signe d'approbation.

« Effectivement, c'est complètement idiot », dis-je, « le transfert de tout cet argent est une véritable escroquerie, et après cela, vous vous permettez une étourderie aussi énorme. »

« Peut-être étais-je trop nerveuse », dit-elle.

« Ou trop préoccupée par l'idée de vous venger », ajoutai-je. « Votre lettre était remarquable, une vengeance féroce, et il ne peut rien faire, si vous arrivez à temps. C'est seulement une question de temps. »

Un éclair brilla dans ses yeux alors qu'elle me regardait dans la glace. Puis elle se retourna brusquement, vibrante, le cou tendu. « Vous avez aussi lu ma lettre ! » s'exclama-t-elle avec dédain.

« J'en ai même recopié une partie », dis-je.

Elle me regarda avec une expression de stupeur, ou de peur, peut-être.

« Recopié ? » murmura-t-elle. « Pourquoi ? »

« Seulement la partie finale », dis-je, « je regrette, ça a été plus fort que moi. Du reste, je ne sais même pas à qui elle est adressée, j'ai seulement compris que c'est un homme qui a dû vous faire beaucoup souffrir. »

« Il était trop riche », dit-elle, « il croyait qu'il pouvait tout acheter, même les gens. » Et elle eut un geste nerveux pour se désigner elle-même. Alors je compris.

« Ecoutez, je crois que je comprends vaguement comment ça s'est passé. Pendant des années, vous n'avez pas existé, vous n'avez été qu'un prête-nom, jusqu'au jour où vous avez décidé de donner une réalité à ce nom. Et cette réalité, c'est vous. Mais de vous je ne connais que le prénom dont vous avez signé, c'est un prénom très banal, et je n'ai pas l'intention d'en savoir davantage. »

« C'est vrai », fit-elle, « le monde est plein de Margareth. »

Elle s'éloigna du secrétaire et alla s'asseoir sur le tabouret de la salle de bains. Elle posa ses coudes sur ses genoux et se prit le visage entre les mains. Elle resta longtemps comme cela, sans rien dire, le visage caché.

« Qu'est-ce que vous pensez faire ? » demandai-je.

« Je ne sais pas », répondit-elle, « j'ai très peur. Il faut que je sois demain à cette banque de Colombo, sinon tout cet argent est perdu. »

« Ecoutez », dis-je, « il fait nuit noire, vous ne pouvez pas aller à Trivandrum à cette heure-ci, et de toute façon vous n'y seriez pas pour l'avion de demain. Demain matin, il y a un avion qui part d'ici pour Colombo ; vous avez de la chance, parce que si vous vous présentez à temps, vous trouverez une place ; et cet hôtel, vous êtes censée l'avoir quitté. »

Elle me regarda comme si elle ne comprenait pas. Elle me regarda longuement, intensément, en m'étudiant.

« En ce qui me concerne, vous êtes réellement partie », ajoutai-je, « et dans cette chambre, il y a deux lits confortables. »

Elle parut se détendre. Elle croisa les jambes et ébaucha un sourire. « Pourquoi faites-vous ça ? » demanda-t-elle.

« Je ne sais pas », dis-je. « Peut-être que j'ai de la sympathie pour les fugitifs. Et puis moi aussi, je vous ai volé quelque chose. »

« J'ai laissé ma valise à la réception », dit-elle.

« Peut-être est-il plus prudent de l'y laisser, vous la récupérerez demain matin. Je peux vous prêter un pyjama, nous sommes presque de la même taille. »

Elle rit. « Il ne reste plus que le problème du robinet », dit-elle.

Je ris moi aussi. « Vous, de toute façon, je crois que vous y êtes habituée maintenant. C'est un problème qui ne concerne que moi. »

VI

« Le corps humain pourrait bien n'être qu'une apparence[1] », dit-il. « Il cache notre réalité, il s'épaissit sur notre lumière ou sur notre ombre[2]. »

Il leva la main, et fit un geste vague. Il portait une ample tunique blanche ; et la manche glissa sur son poignet maigre. « Oh ! mais ceci, ce n'est pas la théosophie qui le dit. Victor Hugo, *les Travailleurs de la Mer*[3]. » Il sourit et me versa à boire. Il leva son verre plein d'eau, comme pour porter un toast.

Un toast à quoi ? pensai-je. Et je levai mon verre moi aussi en disant : « A la lumière et à l'ombre. »

Il sourit de nouveau. « Je vous prie de m'excuser pour ce repas trop frugal », dit-il, « mais c'était la seule façon de parler un peu tranquillement après votre brève visite de cet après-midi. Je regrette que mes engagements ne m'aient pas permis de vous recevoir plus longuement. »

1., 2., 3. En français dans le texte. *(N.d.T.)*

« C'est un privilège pour moi », dis-je, « c'est vraiment aimable de votre part, et je n'aurais jamais osé en espérer autant. »

« Il est bien rare que nous recevions ici, au siège, des hôtes étrangers », poursuivit-il sur un ton vaguement justificatif, « mais je crois avoir compris que vous n'êtes pas un simple curieux. »

Je me rendis compte que le petit mot un peu mystérieux que j'avais envoyé, mes coups de téléphone, ma visite de l'après-midi au cours de laquelle j'avais seulement fait allusion à une « personne disparue », tout cela ressemblait à un message en langage chiffré, et je ne pouvais pas continuer sur ce ton. Une explication claire et nette était devenue nécessaire. Mais qu'est-ce que j'avais à demander, en fait ? Rien qu'une vague information, un indice hypothétique, une piste pour retrouver la trace de Xavier.

« Je cherche quelqu'un », dis-je, « il s'appelle Xavier Janata Pinto, il a disparu depuis presque un an, c'est à Bombay que j'ai eu les derniers renseignements à son sujet, mais j'ai de bonnes raisons de croire qu'il était en contact avec la Theosophical Society : voilà pourquoi je suis ici. »

« Serait-il indiscret que de vous demander ce qui vous fait croire cela ? » demanda mon hôte.

Un serviteur entra avec un plateau, et nous nous servîmes avec parcimonie : moi par politesse, lui par habitude certainement.

« Je voudrais savoir s'il était membre de la Theosophical Society », dis-je.

Mon hôte me regarda avec intensité. « Il ne l'était pas », déclara-t-il à voix basse.

« Pourtant, il correspondait avec vous », dis-je.

« C'est possible », dit-il, « mais, dans ce cas, il s'agirait d'une correspondance privée. »

Nous commençâmes à manger des boulettes de légumes accompagnées d'un riz complètement insipide. Le serveur attendait en retrait, le plateau dans les mains. Sur un signe de mon hôte, il disparut discrètement.

« Nous avons des archives, mais elles sont réservées à nos sociétaires. Toutefois, elles ne comprennent pas la correspondance privée », précisa-t-il.

J'acquiesçai en silence, parce que je me rendais compte qu'il menait la conversation à son gré et qu'il était inutile de continuer à poser des questions directes et trop explicites.

« Vous connaissez l'Inde ? » me demanda-t-il au bout de quelques instants.

« Non », répondis-je, « c'est la première fois que je viens et je n'ai pas encore très bien réalisé où je suis. »

« Je ne parlais pas tellement de la géographie », précisa-t-il, « je voulais parler de la culture. Quels livres avez-vous lus ? »

« Très peu », répondis-je, « en ce moment je suis en train d'en lire un qui s'intitule *A travel Survival Kit*, et il s'avère pour moi d'une certaine utilité. »

« Très amusant », dit-il sur un ton glacial, « et rien d'autre ? »

« C'est-à-dire... » repris-je, « quelques livres dont je ne me souviens pas très bien. J'avoue que je suis venu sans préparation. La seule chose dont je me souvienne assez bien est un livre de Schlegel, mais pas le plus connu des deux, je crois qu'il s'agit de son frère ; le livre s'intitulait *Sur la langue et la sagesse des Indiens.* »

Il réfléchit et dit : « Ce doit être un livre ancien. »

« Oui », dis-je, « il date de 1808. »

« Les Allemands ont été très attirés par notre culture, et parfois ils ont formulé des jugements intéressants sur l'Inde, ne trouvez-vous pas ? »

« Peut-être », dis-je, « je ne suis pas en mesure de l'affirmer. ».

« De Hesse, par exemple, qu'est-ce que vous pensez ? »

« Hesse était suisse », dis-je.

« Non, non », précisa mon hôte, « il était allemand, il ne prit la nationalité suisse qu'en 1921. »

« De toute façon, il est mort suisse », insistai-je.

« Vous ne m'avez pas encore dit ce que vous en pensez », reprit-il en revenant à la charge sur un ton aimable.

C'était la première fois que je sentais monter en moi une forte irritation. Cette pièce sombre, fermée, chargée, avec ces bustes de bronze le long des murs et ces vitrines pleines de livres ; cet Indien pédant et prétentieux qui était en train de mener la conversation à son gré ; sa manière d'être, à la fois condescendante et trop subtile : tout cela provoquait en moi un malaise qui se transformait rapidement en colère, je le sentais. J'étais venu pour de tout autres motifs, et il les avait négligés avec désinvolture, indifférent à mon inquiétude qu'il avait pourtant dû sentir à travers mes coups de téléphone et ma lettre. Et il était en train de me soumettre à des questions idiotes sur Hermann Hesse : j'eus l'impression qu'il se moquait de moi.

« Connaissez-vous le rossolis ? » lui demandai-je, « en avez-vous déjà goûté ? »

« Je ne crois pas », dit-il, « qu'est-ce que c'est ? »

« C'est une liqueur italienne que l'on ne trouve plus que rarement de nos jours ; on en buvait dans les salons bourgeois du dix-neuvième siècle, c'est une liqueur douceâtre et sirupeuse. Hermann Hesse me fait penser au rossolis. Quand je rentrerai en Italie, je vous en enverrai une bouteille, si toutefois je réussis à en trouver. »

Il me regarda sans bien comprendre si c'était de l'ingénuité ou de l'insolence. C'était bien entendu de l'insolence, je ne pensais pas vraiment ce que je disais à propos de Hesse.

« Je ne crois pas que cela me plairait », dit-il d'un ton sec. « Je ne bois pas d'alcool, et de plus, je déteste ce qui est sucré. » Il plia sa serviette et dit : « Veuillez prendre place, nous allons boire le thé. »

Nous nous installâmes dans des fauteuils près de la bibliothèque et le serviteur entra avec le plateau, comme s'il avait été là, à attendre, derrière la tenture. « Avec sucre ? » me demanda mon hôte en me versant le thé.

« Non, merci », répondis-je, « moi non plus, je n'aime pas ce qui est sucré. »

Suivit un silence prolongé et embarrassant. Mon hôte gardait l'immobilité, les yeux clos, et l'espace d'un instant, je crus qu'il s'était endormi. J'essayai de deviner son âge sans y parvenir. Il avait un visage vieux mais sans rides. Je m'aperçus qu'il portait des sandales lacées sur ses pieds nus.

« Etes-vous gnostique ? » me demanda-t-il soudain tout en gardant les yeux fermés.

« Je ne crois pas », dis-je. Et j'ajoutai : « Non, je ne le suis pas, j'éprouve seulement une certaine curiosité pour ces choses-là. »

Il ouvrit les yeux et me regarda d'un air malicieux, ou ironique. « Jusqu'où vous a mené votre curiosité ? »

« Swedenborg », dis-je, « Schelling, Annie Besant : quelque chose de chacun d'eux. » Il manifesta un certain intérêt et je précisai : « Je me suis intéressé à certains de manière indirecte, par exemple Annie Besant. Elle a été traduite par Fernando Pessoa, un grand poète portugais qui mourut inconnu en 1935. »

« Pessoa », dit-il, « en effet. »

« Vous le connaissez ? » demandai-je.

« Un peu », répondit-il, « comme vous les autres. »

« Pessoa se donnait pour gnostique », dis-je, « il était rose-croix, il a écrit une série de poèmes intitulés *Passos da Cruz* [1]. »

« Je ne les ai jamais lus », dit mon hôte, « mais je connais un peu sa vie. »

---

1. Titre donné en portugais dans le texte. *(N.d.T.)*

« Savez-vous quelles furent ses dernières paroles ? »

« Non », dit-il.

« Donnez-moi mes lunettes », dis-je. « Il était très myope et voulait entrer dans l'autre monde avec ses lunettes. »

Mon hôte sourit et ne dit rien.

« Quelques instants auparavant, il avait écrit un petit mot en anglais ; dans ses notes personnelles, il se servait souvent de l'anglais, c'était sa seconde langue, il avait passé son enfance en Afrique du Sud. Ce mot, j'ai réussi à le photocopier ; l'écriture est très brouillée, naturellement, Pessoa était à l'agonie, mais on peut le déchiffrer. Voulez-vous que je vous dise ce qu'il avait écrit ? »

Mon hôte balança la tête, comme le font les Indiens en signe d'assentiment.

« *I know not what thomorrow will bring.* »

« Quel curieux anglais ! » dit-il.

« En effet », dis-je, « quel curieux anglais. »

Mon hôte se leva lentement, me fit signe de rester assis, et traversa la pièce. « Veuillez m'excuser un instant », dit-il en sortant par une porte du fond, « ne vous dérangez pas, je vous en prie. »

Je restai assis à regarder le plafond. Il devait être déjà très tard, mais ma montre était arrêtée. Le silence était complet. Il me sembla entendre le tic-tac d'une pendule, dans une autre pièce, mais peut-être était-ce seulement le grincement d'une boiserie, ou mon imagination. Le serviteur entra sans dire un mot et retira le plateau. Je commençais à ressentir une certaine gêne qui, ajoutée à la fatigue, me donnait une sensation d'inconfort, comme une sorte de malaise. Finalement mon hôte revint et, avant de s'asseoir, me tendit une petite enveloppe jaune. Je reconnus immédiatement l'écriture de Xavier. J'ouvris l'enveloppe et lus ce billet : *Cher Maître et Ami, les événements qui régissent ma vie ne me permettent pas de revenir me promener le long des rives de l'Adyar. Je suis devenu un oiseau de nuit, et je préfère penser que ma destinée le voulait ainsi. Souvenez-vous de moi tel que vous m'avez connu. Votre X.* La date indiquait : Calangute, Goa, 23 septembre.

Je regardai mon hôte d'un air stupéfait. Il s'était assis et scrutait mon visage avec curiosité, me sembla-t-il.

« Mais alors, il n'est plus à Bombay », dis-je, « il est à Goa, fin septembre il était à Goa. »

Il fit un signe de la tête et ne dit rien. « Mais pourquoi est-il allé à Goa ? » demandai-je. « Si vous savez quelque chose, dites-le-moi. »

Il croisa les mains sur ses genoux et me parla d'un ton calme. « Je ne sais pas », dit-il, « je ne connais pas la vie matérielle de votre ami, je regrette, je ne peux pas vous aider. Peut-être les hasards de cette vie-là ne lui ont-ils pas été favorables, ou peut-être lui-même en a-t-il décidé ainsi. Il ne faut jamais en savoir trop sur les apparences extérieures des autres. » Il esquissa un sourire et me fit comprendre qu'il n'avait rien d'autre à me dire sur ce sujet. « Vous restez encore longtemps à Madras ? »

« Non », dis-je, « cela fait trois jours que je suis ici, je pars cette nuit, j'ai déjà mon billet pour un autobus de grande ligne. »

Il me sembla qu'un éclair de désapprobation passait dans son regard.

« C'est le but de mon voyage », dis-je, car je sentais le besoin de me justifier. « Je vais consulter des archives à Goa pour une étude que je dois faire. J'y serais allé de toute façon, même si la personne que je cherche avait été ailleurs. »

« Qu'avez-vous visité par ici ? » me demanda-t-il.

« Je suis allé à Mahabalipuram et à Kanchipuram », dis-je, « j'ai vu tous les temples. »

« Vous avez dormi là-bas ? »

« Oui, dans un petit hôtel d'Etat très bon marché, c'est tout ce que j'ai trouvé. »

« Je le connais », dit-il. Puis il me demanda : « Qu'est-ce que vous avez le plus aimé ? »

« Beaucoup de choses, mais peut-être le temple de Kailasantha. Il a quelque chose de triste et de magique. »

Il secoua la tête. « C'est une étrange définition », dit-il. Puis il se leva avec calme et murmura : « Je crois qu'il se fait tard, j'ai encore beaucoup de choses à écrire cette nuit, permettez-moi de vous raccompagner. »

Je me levai et il me précéda dans le long couloir jusqu'à la porte d'entrée. Je m'arrêtai un instant dans le hall et nous nous serrâmes la main. Tout en sortant, je le remerciai brièvement. Il sourit et ne répondit pas. Et puis, avant de fermer la porte, il me dit : « La science aveugle laboure des terres stériles, la foi folle vit le rêve de son culte, un dieu nouveau n'est qu'un mot, ne crois pas, ne cherche pas : tout est occulte. » Je descendis les marches et fis quelques pas dans l'allée de gravier. Puis je compris brusquement, et me retournai rapidement : c'étaient les vers d'un poème de Pessoa, mais il les avait dits en anglais, c'est pourquoi je ne les avais pas reconnus tout de suite. Le poème s'intitulait *Noël*. Mais la porte était déjà fermée et le serviteur, au bout de l'allée, m'attendait pour fermer le portail.

VII

L'autobus traversait une plaine déserte et de rares villages endormis. Après avoir parcouru dans les collines une portion de route pleine de virages en épingle à cheveux que le chauffeur avait attaqués avec une désinvolture un peu excessive à mon avis, nous filions maintenant sur d'immenses lignes droites, tranquilles, dans la silencieuse nuit indienne. J'avais l'impression que c'était un paysage de palmeraies et de rizières, mais l'obscurité était trop profonde pour qu'on pût le dire avec certitude, et la lumière des phares ne balayait la campagne que lorsque la route décrivait quelque courbe. Selon mes calculs, Mangalore ne devait plus être très loin, si l'autobus avait effectivement mis le temps prévu par l'horaire. Deux solutions s'offraient à moi à Mangalore : soit une attente de sept heures pour avoir la correspondance avec l'autobus de Goa, soit une journée à l'hôtel à attendre l'autobus du lendemain.

J'étais assez indécis. Pendant le voyage, j'avais peu et mal dormi, et je me sentais assez fatigué ; mais la perspective d'une journée entière à Mangalore ne m'enchantait pas particulièrement. De Mangalore, mon guide disait que « située sur la mer d'Oman, la ville ne conserve pratiquement rien de son passé. C'est une ville moderne et industrielle, caractérisée par une urbanisation rationnelle et un aspect anonyme. Une des rares villes de l'Inde où il n'y a vraiment rien à voir. »

J'étais encore en train de me demander ce que j'allais faire lorsque l'autobus s'arrêta. Il ne pouvait s'agir de Mangalore, nous étions en rase campagne. Le chauffeur éteignit le moteur, et quelques passagers descendirent. Au début, je crus que c'était une petite halte pour soulager les besoins des voyageurs, mais au bout d'une quinzaine de minutes, il me sembla que l'arrêt se prolongeait de manière insolite. De plus, le chauffeur s'était tranquillement abandonné contre le dossier de son siège et semblait endormi. J'attendis un autre quart d'heure. Les passagers demeurés à bord dormaient paisiblement. Le vieil homme à turban qui était assis devant moi avait sorti d'un panier une longue bande de tissu qu'il enroulait patiemment, en lissant les plis avec soin chaque fois qu'il faisait un tour. Je lui murmurai une question dans le creux de l'oreille, mais il se tourna et me regarda avec un sourire sans expression pour me signifier qu'il ne comprenait pas. Je regardai par la fenêtre et vis que, près du bord de la route, sur une esplanade de sable, il y avait une espèce de hangar faiblement éclairé. Cela ressemblait à un garage en planches. Sur le seuil, il y avait une femme, je vis quelqu'un qui entrait.

Je pris la décision de demander des explications au chauffeur. Cela m'ennuyait de le réveiller, car il avait conduit de nombreuses heures, mais peut-être valait-il mieux s'informer. C'était un homme gras, qui dormait la bouche ouverte. Je lui touchai l'épaule, et il me regarda d'un air confus.

« Pourquoi sommes-nous arrêtés ? » demandai-je. « Nous ne sommes pas à Mangalore. »

Il se redressa et se lissa les cheveux. « Non, monsieur, ce n'est pas Mangalore. »

« Et alors, pourquoi sommes-nous arrêtés ? »

« C'est un autobus-stop », dit-il, « nous attendons une correspondance. »

La halte n'était pas prévue dans les indications mentionnées sur mon billet, mais j'étais désormais habitué à certaines surprises que peut réserver l'Inde. Aussi pris-je mes informations sans laisser paraître aucune surprise, comme par simple curiosité. J'appris qu'il s'agissait de l'autobus pour Mudabiri et Karkala. J'essayai de répliquer quelque chose qui me paraissait logique. « Et les passagers qui vont à Mudabiri et Karkala ne peuvent pas attendre tout seuls, sans que nous attendions nous aussi avec eux ? »

« Dans cet autobus-là, il y a des gens qui monteront dans le nôtre pour aller à Mangalore », me répondit le chauffeur d'un air tranquille. « C'est pour cette raison que nous attendons. »

Il s'allongea de nouveau sur le siège, me faisant ainsi comprendre qu'il avait envie de continuer à dormir. Je lui parlai encore sur un ton résigné. « Combien de temps durera l'arrêt ? »

« Quatre-vingt-cinq minutes », répondit-il avec une exactitude qui pouvait aussi bien être due à une éducation britannique qu'à une forme d'ironie raffinée. Et il ajouta : « De toute façon, si vous êtes fatigué d'attendre dans l'autobus, vous pouvez descendre, là sur le bord, il y a une salle d'attente. »

Je décidai qu'il valait peut-être mieux se dérouiller un peu les jambes pour tromper l'attente. La nuit était douce et humide, pleine d'une forte odeur d'herbes. Je fis le tour de l'autobus, fumai une cigarette appuyé à la petite échelle de derrière, et me dirigeai ensuite vers la « salle d'attente ». C'était une baraque basse et allongée, une lampe à pétrole était suspendue à la porte sur l'encadrement de laquelle était fixée l'image en plâtre coloré d'une divinité inconnue de moi. A l'intérieur, il y avait une dizaine de personnes, assises sur les bancs le long des murs. Deux femmes, debout près de l'entrée, parlaient avec volubilité. Les quelques voyageurs descendus de l'autobus s'étaient éparpillés sur un banc circulaire, au centre, sous un pilier de soutènement auquel étaient accrochés des feuillets de couleurs diverses et une affiche jaunie qui était peut-être un horaire, ou une annonce officielle. Sur le banc du fond était assis un garçonnet d'une dizaine d'années qui portait des pantalons courts et des sandales. Il était accompagné d'un singe qui s'accrochait à ses épaules, la tête cachée dans ses cheveux et les petites mains croisées autour du cou de son maître, dans une attitude affectueuse et craintive. En plus de la lampe à pétrole qui était suspendue à la porte, il y avait deux bougies qui brûlaient sur une caisse d'emballage : la lumière était très faible, et les angles de la baraque restaient dans l'obscurité. Je demeurai un instant à regarder ces gens qui ne semblaient pas du tout se soucier de moi. Cela me fit une impression bizarre de voir cet enfant tout seul avec son singe, bien qu'il soit fréquent en Inde de rencontrer des enfants accompagnés seulement d'un animal ; et tout de suite, je pensai à un enfant qui m'était cher et à sa façon de serrer un poupon dans ses bras avant de s'endormir. Ce fut peut-être ce rapprochement qui me poussa vers lui, et je m'assis à côté de lui. Il me regarda, il avait de très beaux yeux, et il me sourit ; moi aussi, je lui souris. Et c'est seulement à ce moment-là que je m'aperçus avec horreur que la petite créature qu'il portait sur ses épaules n'était pas un singe, mais un être humain. C'était un monstre. Une atrocité de la nature, ou une terrible infirmité, avait recroquevillé son corps en en bouleversant les formes et les dimensions. Ses membres, tout tordus et crispés, avaient obéi, semblait-il, aux normes du grotesque le plus atroce. Le visage lui-même, que je découvrais maintenant à travers les cheveux de celui qui le portait, n'avait pas échappé aux ravages de la difformité. Un épiderme rugueux, et des rides profondes comme des blessures, lui donnaient cet aspect simiesque qui, joint à ses traits, avait provoqué ma méprise. D'humain, il ne restait, dans ce visage, que les yeux : deux yeux minuscules, perçants, intelligents, qui furetaient de tous côtés, inquiets, comme animés par la peur d'un danger imminent.

Le garçonnet me salua cordialement, je lui dis bonsoir moi aussi, et je fus incapable de me lever et de m'en aller.

« Où vas-tu ? » lui demandai-je.

« Nous allons à Mudabiri », dit-il en souriant, « au temple de Chandranath. »

Il parlait assez bien l'anglais, sans hésitations. « Tu parles bien l'anglais », dis-je, « où l'as-tu appris ? »

« A l'école », dit le garçonnet, tout fier, « j'y suis allé pendant trois ans. » Puis il fit un signe en tournant légèrement la tête, et eut une expression d'excuse. « Lui, il ne parle pas anglais, il n'a pas pu aller à l'école. »

« Bien sûr », dis-je, « je comprends. »

Le garçon caressa les mains qui entouraient son cou.

« C'est mon frère », dit-il d'un ton affectueux, « il a vingt ans. » Et il prit de nouveau une expression pleine de fierté et dit : « Mais il connaît les Ecritures, il les connaît par cœur, il est très intelligent. »

J'essayai de prendre un air détaché, comme distrait et perdu dans mes pensées, pour ne pas montrer que je n'avais pas le courage de regarder la personne dont il était question. « Qu'est-ce que vous allez faire à Mudabiri ? » demandai-je.

« Il y a des fêtes », dit-il, « les jaïns viennent de tout le Kerala, il y a beaucoup de pèlerins pendant cette période. »

« Vous aussi, vous êtes en pèlerinage ? »

« Non », dit-il, « nous faisons le tour des temples, mon frère est *Arhant.* »

« Excuse-moi », dis-je, « mais je ne sais pas ce que ça veut dire. »

« *Arhant* est un prophète jaïn », expliqua patiemment l'enfant. « Il lit le *karman* des pèlerins, nous gagnons beaucoup d'argent. »

« Alors, il est voyant. »

« Oui », dit l'enfant d'un ton candide, « il voit le passé et le futur. » Puis ses idées s'enchaînèrent de manière toute professionnelle et il me demanda : « Tu veux connaître ton *karman* ? Ça coûte cinq roupies. »

« D'accord », dis-je, « demande à ton frère. »

Le garçonnet parla doucement à son frère, et celui-ci répondit en murmurant, tout en me regardant de ses petits yeux mobiles.

« Mon frère demande s'il peut te toucher le front », me rapporta l'enfant. Le monstre approuva d'un hochement de tête, dans l'expectative.

« Bien sûr qu'il peut, si c'est nécessaire. »

Le devin allongea sa petite main toute tordue et posa son index sur mon front. Il resta ainsi un instant, en me fixant avec intensité. Puis il retira sa main et susurra quelques mots à l'oreille de son frère. Il s'ensuivit une petite discussion très animée. Le devin parlait sans arrêt, il semblait contrarié et irrité. Quand ils eurent fini de discuter, le petit garçon se tourna vers moi d'un air affligé.

« Alors », lui demandai-je, « je peux savoir ? »

« Je regrette », me dit-il, « mon frère dit

que ce n'est pas possible, tu es quelqu'un d'autre. »

« Ah oui ? », dis-je, « qui suis-je ? »

L'enfant parla de nouveau à son frère et celui-ci répondit brièvement. « Cela n'a pas d'importance », me rapporta l'enfant, « c'est seulement *mâya.* »

« Et qu'est-ce que c'est, *mâya* ? »

« C'est l'apparence visible du monde », répondit le garçonnet, « mais ce n'est qu'une illusion, ce qui compte, c'est l'*atman* ». Puis il consulta son frère, et me confirma avec conviction : « Ce qui compte, c'est l'*atman.* »

« Et l'*atman*, qu'est-ce que c'est ? »

L'enfant sourit de mon ignorance. « The *soul*, dit-il, l'âme individuelle. »

Une femme entra et s'assit sur le banc qui était en face de nous. Elle portait un panier où dormait un enfant. Je la regardai, et elle me fit un salut rapide, les mains jointes devant la poitrine, en signe de respect.

« Je croyais qu'à l'intérieur de nous, nous n'avions que le *karman* », dis-je, « la somme de nos actions, de ce que nous avons été et de ce que nous serons. »

Le garçonnet sourit de nouveau et parla à son frère. Le monstre me regarda de ses petits yeux perçants, et indiqua le chiffre deux avec ses doigts. « Oh non ! » expliqua l'enfant, « il y a aussi l'*atman*, il est avec le *karman*, mais c'est quelque chose de distinct. »

« Mais alors, si je suis un autre, je voudrais savoir où est mon *atman*, où il se trouve maintenant. »

L'enfant traduisit mes paroles à son frère et

il s'ensuivit encore une conversation animée. « C'est très difficile à dire », me rapporta-t-il ensuite, « il ne peut pas. »

« Demande-lui si dix roupies l'aideraient », dis-je.

L'enfant traduisit et le monstre planta ses petits yeux dans les miens. Puis il prononça quelques mots qui m'étaient destinés, très rapidement. « Il dit que ce n'est pas une question de roupies », traduisit le garçon, « toi, tu n'es pas là, il ne peut pas te dire où tu es. » Il me fit un beau sourire et ajouta : « Mais si tu veux nous donner dix roupies, nous les prendrons quand même. »

« Je te promets que je te les donnerai », dis-je, « mais demande-lui au moins qui je suis en ce moment. »

L'enfant fit encore un sourire indulgent et me dit : « Mais ça, c'est seulement ton *mâya,* à quoi ça te sert de le savoir ? »

« C'est vrai », dis-je, « tu as raison, ça ne sert à rien. » Puis il me vint une idée, et je lui dis : « Demande-lui qu'il essaie de deviner. »

L'enfant me regarda d'un air stupéfait. « De deviner quoi ? »

« De deviner où est mon *atman* », dis-je, « tu ne m'as pas dit qu'il était devin ? »

L'enfant rapporta ma demande, et son frère lui répondit rapidement. « Il dit qu'il peut essayer », me traduisit-il, « mais il ne garantit rien. »

« Cela n'a pas d'importance, qu'il essaie quand même. »

Le monstre me fixa d'une manière très intense, longuement. Puis il fit un signe de la main, et je crus qu'il allait parler, mais il ne parla pas. Ses doigts s'agitaient dans l'air avec légèreté, dessinant des vagues, puis il les joignit en formant un creux, comme pour recueillir une eau imaginaire. Il susurra quelques mots. « Il dit que tu es sur un bateau », me susurra à son tour l'enfant. Le monstre fit un signe, mit les paumes de ses mains en avant, et s'immobilisa.

« Sur un bateau », dis-je. « Demande-lui où, vite, qu'est-ce que c'est que ce bateau ? »

Le garçonnet mit son oreille contre la bouche de son frère qui continuait à murmurer. « Il voit beaucoup de lumières. Il ne voit rien de plus, ce n'est pas la peine d'insister. »

Le devin avait repris sa position initiale, le visage caché dans les cheveux de son frère. Je pris dix roupies et les lui tendis. Je sortis dans la nuit et allumai une cigarette. Je demeurai un instant à regarder le ciel et la lisière brune que formait la végétation sur le bord de la route. L'autobus de Mudabiri ne devait plus être très loin, maintenant.

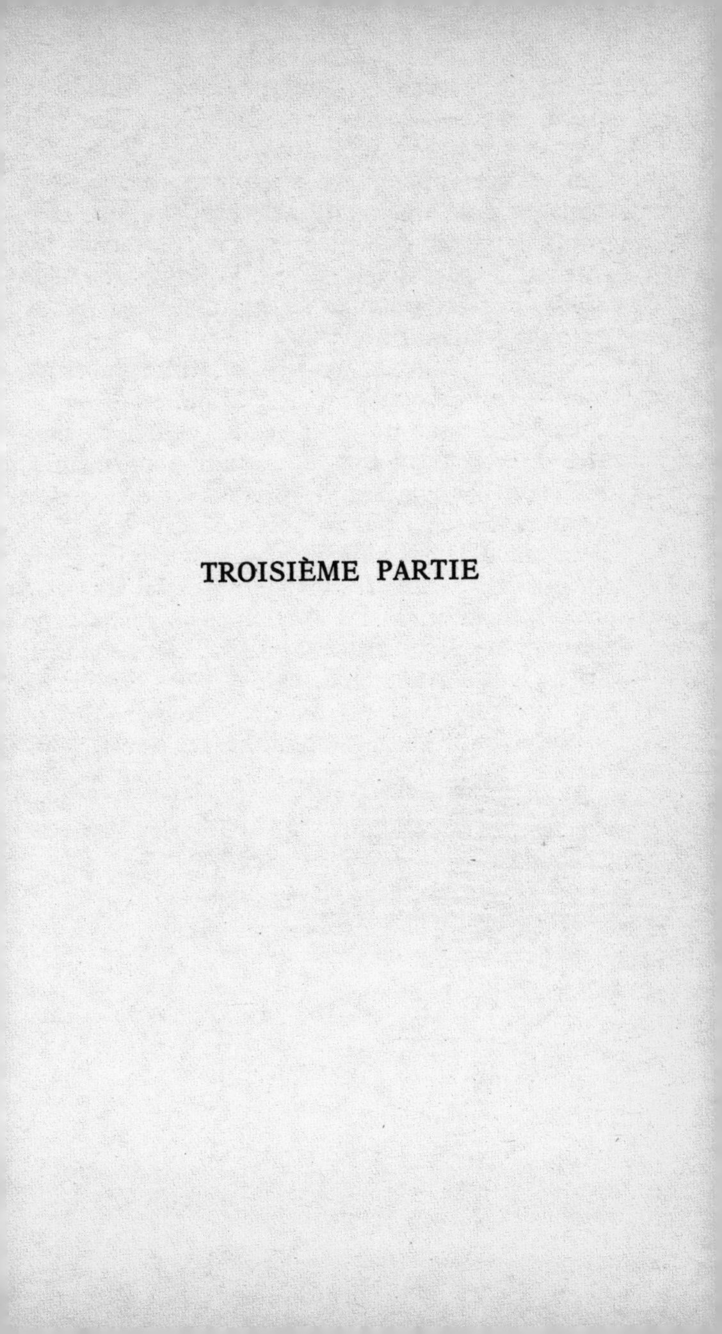

TROISIÈME PARTIE

VIII

Le gardien était un petit vieux au visage fripé, dont les cheveux blancs en couronne contrastaient avec sa peau très brune. Il parlait parfaitement le portugais et quand je lui dis mon nom, il me fit de grands sourires en hochant la tête, comme s'il était très content de me voir. Il m'expliqua que le révérend prieur disait l'office de vêpres et me priait de l'attendre dans la bibliothèque. Il me remit un billet sur lequel je lus : *Bienvenue à Goa. Je vous rejoins dans la bibliothèque à 18 h 30. Si vous avez besoin de quoi que ce soit, Theotónio est à votre disposition. Père Pimentel.*

Theotónio me guida dans l'escalier tout en causant. Il était bavard et désinvolte, il avait longtemps vécu au Portugal, à Vila do Conde, me dit-il, où il avait des parents, il aimait les pâtisseries portugaises, et en particulier le *pão-de-ló* [1].

L'escalier était en bois sombre et donnait sur

---

1. En portugais dans le texte. *(N.d.T.)*

un grand palier faiblement éclairé, meublé d'une longue table et d'une mappemonde. Sur les murs, il y avait des tableaux représentant des personnages grandeur nature, des hommes barbus et graves assombris par le temps. Theotónio me laissa à la porte de la bibliothèque et redescendit rapidement, comme s'il avait beaucoup à faire. La salle était vaste et fraîche, il y régnait une forte odeur de renfermé. Les étagères étaient ornées de volutes baroques et de marqueterie d'ivoire, en mauvais état, me sembla-t-il. Il y avait deux longues tables centrales à pieds torsadés et quelques tables basses près des murs, avec des bancs d'église et de vieux fauteuils en paille. Je jetai un coup d'œil à la première étagère de droite, vis quelques livres de patristique et quelques chroniques de la Compagnie de Jésus du dix-septième siècle ; je pris deux livres au hasard et m'assis sur le fauteuil qui était près de la porte d'entrée ; sur la table voisine, il y avait un livre ouvert mais je n'y fis pas attention, et feuilletai l'un des livres que j'avais pris, la *Relação de novo caminho que fez por Terra e por Mar, vindo da India para Portugal, o Padre Manoel Godinho da Companhia de Iesu.* Le colophon indiquait : *Em Lisboa, na Officina de Henrique Valente de Oliveira, Impressor del Rey N.S., Anno 1665* [1]. Manoel Godinho avait une vision pragmatique de la vie, ce qui n'était pas en contradiction avec sa profession de gardien de la foi catholique dans cette enclave de

1. Toutes ces indications sont en portugais dans le texte. *(N.d.T.)*

contre-réforme assiégée par le panthéon hindouiste. Son récit était précis et circonstancié, sans apprêt et sans rhétorique. Il n'aimait pas les métaphores ni les comparaisons, ce prêtre-là ; il voyait les choses de façon stratégique, divisait la terre en zones favorables et défavorables, et concevait l'Occident chrétien comme le centre du monde. J'étais arrivé à la fin du long préambule dédié au roi quand, sans savoir ce qui m'en avertissait, j'eus la sensation de ne pas être seul. Peut-être entendis-je un léger craquement, ou un soupir ; ou bien, plus probablement, éprouvai-je cette sensation que l'on a lorsqu'un regard est posé sur soi. Je levai les yeux et scrutai le décor qui m'entourait. Dans un fauteuil situé entre les deux fenêtres, de l'autre côté de la salle, la masse sombre que j'avais prise en entrant pour un vêtement négligemment jeté sur le dossier du siège se tourna lentement, comme si elle avait attendu le moment précis où je la regarderais, et me fixa. C'était un homme âgé, au long visage émacié, la tête coiffée d'un couvre-chef dont je ne réussis pas à discerner le style.

« Bienvenue à Goa », murmura-t-il. « Vous avez été imprudent de venir de Madras, la route est pleine de bandits. »

Il avait une voix très rauque, qui ressemblait par moments à un gargouillement. Je le regardai avec stupeur. Il me parut étrange qu'il utilisât le mot « bandits », et plus étrange encore qu'il sût d'où je venais.

« Et l'arrêt nocturne dans cet endroit horrible ne vous a certainement pas rassuré », ajouta-t-il. « Vous êtes jeune et entreprenant, mais souvent vous avez peur, vous ne seriez pas un bon soldat, peut-être succomberiez-vous à la lâcheté. » Il me regarda avec indulgence. Je ne sais pourquoi j'éprouvai un grand embarras qui m'empêcha de lui répondre. Mais comment pouvait-il être au courant de mon voyage ? pensai-je, qui l'en avait informé ?

« Ne vous inquiétez pas », dit le vieillard comme s'il devinait mes pensées. « J'ai de nombreux informateurs, moi. »

Il prononça cette phrase sur un ton presque menaçant, et cela me fit une impression bizarre. Nous parlions en portugais, je m'en souviens, et ses paroles me semblaient froides et éteintes, comme détachées de la voix qui les prononçait. Pourquoi parlait-il de cette façon ? pensai-je, qui était-il donc ? La longue pièce était plongée dans la pénombre, et il se trouvait à l'autre extrémité, loin de moi ; une table me dissimulait en partie son corps. Tout cela, ajouté à la surprise, m'avait empêché d'observer son aspect général. Mais je m'aperçus alors qu'il portait un chapeau de forme triangulaire en tissu mou et que sa longue barbe grise balayait un pourpoint rebrodé de fils d'argent. Ses épaules étaient couvertes d'un ample manteau noir d'un style ancien, à manches bouffantes. Il lut la surprise sur mon visage, écarta sa chaise et bondit au milieu de la pièce avec une agilité dont je ne l'aurais pas cru capable. Il portait des cuissardes à revers et une épée au côté. Il fit un geste théâtral, un peu ridicule : son bras droit décrivit une ample volute et sa main vint se poser sur son cœur pendant qu'il clamait d'une voix de stentor : « Je suis

Afonso de Albuquerque, vice-roi des Indes. »

Alors seulement je compris qu'il était fou. Je le compris et en même temps, curieusement, je pensai qu'il était *réellement* Afonso de Albuquerque, et cela ne me surprit pas : je n'en ressentis qu'une indifférence mêlée de lassitude, comme devant quelque chose de nécessaire et inéluctable.

Le vieil homme me scrutait de ses petits yeux brillants, d'un air défiant et suspicieux. Il était grand, majestueux, hautain. Je compris qu'il attendait que je parle, ce que je fis. Mais les mots sortirent tout seuls de ma bouche, sans contrôle de ma volonté. « Vous ressemblez à Ivan le Terrible », dis-je, « ou plutôt à l'acteur qui l'interprétait. »

Il demeura silencieux et porta sa main à l'oreille.

« Je parlais d'un vieux film », expliquai-je, « un vieux film m'est venu à l'esprit. » Et à l'instant où je prononçais ces mots, une lueur éclaira son visage, comme si un feu s'était embrasé dans une cheminée voisine. Mais il n'y avait aucune cheminée, la pièce était de plus en plus sombre, peut-être cette lueur n'était-elle que le dernier rayon du soleil qui se couchait.

« Qu'êtes-vous venu faire ici ? » cria-t-il brusquement. « Qu'attendez-vous de nous ? »

« Rien », dis-je, « je ne veux rien. Je suis venu faire des recherches dans les archives, c'est mon métier, cette bibliothèque est presque inconnue en Occident. Je cherche des chroniques anciennes. »

Le vieux rejeta son grand manteau sur l'une de ses épaules, exactement comme le font les acteurs au théâtre, quand ils vont se battre en duel. « C'est un mensonge ! » hurla-t-il avec véhémence. « Vous êtes venu pour un autre motif ! »

Sa violence ne m'effrayait pas, je ne craignais pas d'être agressé : et pourtant j'éprouvai un étrange sentiment de sujétion, comme s'il avait découvert une faute que je tenais cachée en moi. Tout honteux, je baissai les yeux et vis que le livre qui était ouvert sur la table était de saint Augustin. Et je lus ces mots : *Quomodo praesciantur futura.* Etait-ce seulement une coïncidence, ou bien quelqu'un voulait-il que je lise ces mots ? Et qui donc, sinon ce vieillard ? Il m'avait dit qu'il avait ses informateurs, c'étaient ses propres termes, et cela me parut sinistre et sans issue.

« Je suis venu chercher Xavier », avouai-je, « c'est vrai, je suis à sa recherche. »

Il me regarda d'un air triomphant. Il y avait maintenant de l'ironie sur son visage, et peut-être même du mépris. « Et qui est Xavier ? »

J'eus l'impression qu'il me prenait en traître, qu'il violait un pacte tacite : il « savait » qui était Xavier, et il n'aurait pas dû me le demander. Et je n'aurais pas voulu le lui dire, cela aussi je le sentais.

Je mentis : « Xavier est mon frère. »

Il se mit à rire d'un air féroce en pointant l'index sur moi. « Xavier n'existe pas », dit-il, « ce n'est qu'un fantôme. » Il fit un large mouvement qui embrassa toute la pièce. « Nous sommes tous morts, ne l'avez-vous pas encore compris ? Je suis mort, et cette ville est morte, ainsi que les batailles, la sueur, le sang, la gloire et mon pouvoir : tout est mort, rien n'a servi à rien. »

« Non », dis-je, « il reste encore quelque chose. »

« Quoi donc ? » fit-il. « Votre souvenir ? Votre mémoire ? Ces livres ? »

Il fit un pas dans ma direction, et j'éprouvai une horrible sensation, parce que je savais déjà ce qu'il allait faire, je ne sais pas comment, mais je le savais. De la pointe d'une de ses bottes, il poussa un petit paquet qui était à ses pieds, et je vis que c'était un rat mort. Il poussa l'animal sur le sol et murmura d'un ton ironique : « Ou peut-être ce rat ? » Il rit de nouveau, et cet éclat de rire me glaça. « Je suis le joueur de flûte de Hamelin ! » cria-t-il. Et puis sa voix prit un ton affable, il m'appela professeur et me dit : « Excusez-moi de vous avoir réveillé. »

« Excusez-moi de vous avoir réveillé », dit le Père Pimentel.

C'était un homme d'une cinquantaine d'années, son visage solide exprimait la franchise. Il me tendit la main et je me levai, confus.

« Oh, je vous remercie », dis-je, « j'étais en train de faire un mauvais rêve. »

Il s'assit sur le petit fauteuil qui était à côté du mien et me tranquillisa d'un geste. « J'ai reçu votre lettre », dit-il, « les archives sont à votre disposition, vous pouvez rester le temps que vous voulez ; je suppose que vous resterez ici ce soir, je vous ai fait préparer une chambre. » Theotónio entra portant le plateau pour le thé et une pâtisserie qui me sembla être le *pão-de-ló*.

« Je vous remercie », dis-je, « votre hospitalité me réconforte. Cependant je ne resterai pas ici ce soir, je vais vers Calangute et j'ai loué une voiture ; je voudrais recueillir des renseignements sur une personne. Je reviendrai d'ici quelques jours. »

IX

Il peut aussi nous arriver, dans la vie, de passer une nuit à l'hôtel *Zuari*. Sur le moment, il est possible que nous ne trouvions pas la chose particulièrement agréable ; mais dans le souvenir, comme toujours dans les souvenirs, une fois éliminées les sensations physiques immédiates, les odeurs, la couleur, la vue de telle bestiole sous le lavabo, l'événement s'entoure d'un certain flou qui embellit l'image. La réalité passée est toujours moins mauvaise qu'elle ne le fut effectivement : la mémoire est une formidable faussaire. Dans notre esprit, des contaminations se font à notre insu, et des hôtels de ce genre peuplent déjà notre imaginaire : nous les avons déjà trouvés dans les livres de Conrad ou de Maugham, dans certains films américains tirés des romans de Kipling ou de Bromfield : tout cela nous semble familier.

La soirée était déjà avancée quand j'arrivai à l'hôtel *Zuari,* et ce fut un choix imposé, comme c'est souvent le cas en Inde. Vasco de

Gama est une petite ville de l'Etat de Goa particulièrement affreuse, sombre, pleine de vaches qui errent dans les rues, de gens pauvres vêtus à l'occidentale, héritage de la présence portugaise, ce qui leur donne un aspect de misère dépourvue de mystère. Les mendiants sont nombreux, mais dans cette ville il n'y a pas de temples ou de lieux sacrés, et ces mendiants ne vous implorent pas au nom de Vishnou et ne vous gratifient pas de bénédictions ou de formules religieuses : ils sont taciturnes et hagards, comme morts.

Dans le hall de l'hôtel *Zuari*, il y a un grand comptoir semi-circulaire derrière lequel se tient un réceptionniste gras toujours occupé à parler au téléphone. Il vous inscrit en parlant au téléphone, il vous donne la clef en parlant au téléphone ; et, à l'aube, quand le petit jour vous avertit que vous pouvez enfin renoncer à l'hospitalité de votre chambre, vous le trouverez encore en train de parler au téléphone d'une voix monotone, basse, indéchiffrable. A qui parle le réceptionniste de l'hôtel *Zuari* ?

Il y a aussi un vaste dining-room, au premier étage de l'hôtel, si l'on en croit le panneau qui est sur la porte : mais ce soir-là, la pièce était plongée dans l'obscurité et vide de tables, et je dînai donc dans le patio, une petite cour où il y avait des bougainvillées et des fleurs très parfumées, des petites tables basses avec des bancs de bois, le tout très faiblement éclairé. Je mangeai des écrevisses grosses comme des langoustes et un dessert à la mangue, et bus du thé et une espèce de vin qui avait un goût de cannelle ; le tout pour une somme dérisoire, ce qui me rasséréna. Le long du patio, à l'étage, courait la galerie sur laquelle donnaient les chambres ; dans la cour, au milieu des pierres, trottinait un lapin blanc. Une famille indienne dînait à une table du fond. A la table voisine de la mienne, il y avait une dame blonde, d'un âge indéfinissable, d'une beauté fanée. Elle mangeait avec trois doigts, selon la coutume indienne, en faisant des petites boulettes de riz bien rondes qu'elle trempait dans la sauce. Elle me parut anglaise, et elle l'était, en effet. De temps à autre, une lueur de démence passait dans son regard, mais cela ne durait pas. Par la suite, elle me raconta une histoire que je préfère ne pas rapporter. Il se peut d'ailleurs que cela n'ait été qu'un mauvais rêve. Du reste, l'hôtel *Zuari* n'est guère propice aux beaux rêves.

X

« J'étais facteur à Philadelphie, à dix-huit ans j'étais déjà dans les rues, la sacoche en bandoulière, toujours, tous les matins, l'été quand le bitume est une vraie mélasse, et l'hiver quand on tombe sur la neige glacée. Comme ça, pendant dix ans, à porter des lettres. Tu ne sais pas combien de lettres j'ai portées, des milliers. C'étaient tous des messieurs sur les enveloppes. Des lettres qui venaient de tous les coins du monde : Miami, Paris, Londres, Caracas. Bonjour, monsieur, bonjour, madame. Je suis le facteur. »

Il leva le bras et indiqua le groupe de jeunes qui étaient sur la plage. Le soleil se couchait et l'eau étincelait. Des pêcheurs, à côté de nous, préparaient un bateau. C'étaient des hommes à moitié nus, avec seulement un tissu autour des reins. « Ici, nous sommes tous égaux », dit-il, « il n'y a pas de messieurs. » Il me regarda et son visage prit une expression malicieuse. « Tu es un monsieur, toi ? »

« Qu'est-ce que tu en dis, toi ? »

Il me regarda d'un air dubitatif. « Tout à l'heure je te répondrai. » Puis il me montra les petites cabanes de palmes que l'on voyait sur notre gauche, appuyées à la dune.

« Nous vivons là, c'est notre village, il s'appelle Sun. » Il tira de sa poche une petite boîte en bois qui contenait du tabac et du papier, et roula une cigarette. « Tu fumes ? »

« D'habitude non », dis-je, « mais maintenant oui, si tu m'en offres une. »

Il en roula une pour moi aussi et me dit : « Ça, c'est bon à fumer, ça rend gai, tu es gai, toi ? »

« Ecoute », lui dis-je, « ton histoire me plaisait, continue à raconter. »

« Bon », dit-il, « un jour je marchais dans une rue de Philadelphie, il faisait très froid, je distribuais le courrier, c'était le matin, la ville était pleine de neige, c'est tellement horrible, Philadelphie, je parcourais des rues immenses, et puis j'ai pris une petite impasse étroite, sombre, à peine éclairée au fond par un rayon de soleil qui avait réussi à percer le brouillard, moi, cette ruelle-là, je la connaissais, j'y portais le courrier tous les jours, c'était une impasse qui finissait contre le mur d'enceinte d'une usine de voitures. Alors, tu sais ce que j'ai vu, ce jour-là? Essaie de deviner. »

« Aucune idée », dis-je.

« Essaie de deviner. »

« Je donne ma langue au chat, c'est trop difficile. »

« La mer », dit-il. « J'ai vu la mer. Au fond de l'impasse, il y avait une belle mer bleue, avec des vagues toutes ridées par l'écume, et une plage de sable, et des palmiers. Qu'est-ce que tu en dis, hein? »

« Bizarre », dis-je.

« La mer, je ne l'avais vue qu'au cinéma ou sur les cartes postales qui arrivaient de Miami ou de La Havane. Et cette mer-là, elle était exactement pareille, un océan, mais sans personne, avec une plage déserte. Je me suis dit : ils ont amené la mer à Philadelphie. Et puis après je me suis dit : c'est un mirage, comme on lit dans les livres. Et toi, qu'est-ce que tu en aurais pensé ? »

« La même chose », dis-je.

« Eh oui. Mais la mer ne peut pas arriver à Philadelphie. Et les mirages se produisent dans le désert, quand le soleil tombe à pic et que tu as très soif. Et ce jour-là, il faisait un froid de canard, c'était plein de neige sale. Alors, comme ça, je me suis approché tout doucement, attiré par cette mer, avec une envie folle de plonger dedans malgré le froid, parce que ce bleu était une tentation, et que les vagues scintillaient à cause du soleil. » Il s'arrêta un instant et tira une bouffée de cigarette. Il souriait d'un air absent et lointain, en revivant ce jour-là. « C'était une peinture. Ils avaient peint la mer, ces salauds. Ils font ça quelquefois à Philadelphie, c'est une idée des architectes, sur le ciment ils peignent des paysages, des vallées, des bois et ainsi de suite, comme ça tu as moins l'impression de vivre dans une ville de merde. J'étais à deux pas de cette mer peinte sur le mur, avec ma sacoche en bandoulière, au fond de l'impasse le vent tourbillonnait et au-dessous du sable doré tournoyaient des vieux papiers, des feuilles sèches, un sachet de plastique. Plage sale, à Philadelphie. Je suis resté un moment à regarder, et j'ai pensé : si la mer ne va pas à Tommy, Tommy ira à la mer. Qu'est-ce que tu en dis ? »

« Je connaissais une autre version », dis-je, « mais l'idée est la même. »

Il rit. « Exactement comme ça », dit-il. « Et alors, tu sais ce que j'ai fait ? Essaie de deviner. »

« Aucune idée. »

« Essaie de deviner. »

« Je donne ma langue au chat », dis-je, « c'est trop difficile. »

« J'ai ouvert une poubelle et j'y ai mis ma sacoche. Toi, le courrier, reste là gentiment. Et puis je suis allé à toute vitesse au siège central et j'ai demandé à parler au directeur. J'ai besoin de trois mois d'avance sur salaire, je lui ai dit, mon père est très malade, il est à l'hôpital, regardez, voilà les certificats médicaux. Il m'a répondu : signez d'abord cette déclaration. J'ai signé et j'ai pris l'argent. »

« Mais ton père était vraiment malade ? »

« Bien sûr que oui, il avait un cancer. Mais de toute façon, il serait mort, même si j'étais resté à porter le courrier aux messieurs de Philadelphie. »

« Bien sûr », dis-je.

« J'ai emporté une seule chose », dit-il, « essaie de deviner. »

« C'est vraiment trop difficile, ce n'est pas la peine, je donne ma langue au chat. »

« L'annuaire du téléphone », dit-il d'un air satisfait.

« L'annuaire ? »

« Eh oui, l'annuaire de Philadelphie. C'est tout ce qui me reste de l'Amérique. »

« Et pourquoi ? » lui demandai-je. L'histoire commençait à m'intéresser.

« J'écris des cartes postales. Maintenant, c'est moi qui écris aux gens de Philadelphie. Des cartes postales avec dessus une belle mer et la plage déserte de Calangute, et derrière, j'écris : meilleur souvenir de Tommy le facteur. Je suis arrivé à la lettre C. Bien sûr, je saute les quartiers qui ne m'intéressent pas, et j'écris sans mettre de timbre, c'est le destinataire qui paie. »

« Depuis quand tu es là ? » lui demandai-je.

« Quatre ans », dit-il.

« L'annuaire de Philadelphie doit être plutôt long. »

« Oui », dit-il, « il est énorme, mais de toute façon, je ne suis pas pressé, j'ai toute la vie devant moi. »

Le groupe qui était sur la plage avait allumé un grand feu, quelqu'un se mit à chanter. Quatre personnes se détachèrent du groupe et s'approchèrent ; elles avaient des fleurs dans les cheveux et nous sourirent. Une fille tenait par la main une enfant d'une dizaine d'années.

« La fête va commencer », dit Tommy, « ça va être une grande fête, c'est l'équinoxe. »

« L'équinoxe ? » dis-je, « mais l'équinoxe, c'est le vingt-trois septembre, et nous sommes en décembre ! »

« Enfin, c'est quelque chose de ce genre », répliqua Tommy. La fillette l'embrassa sur le front et repartit avec les autres.

« Mais ils ne sont plus si jeunes que ça », dis-je, « on dirait des pères de famille. »

« Ce sont ceux qui sont arrivés les premiers », dit Tommy, « les Pilgrims. » Puis il me regarda et dit : « Pourquoi ? tu es comment, toi ? »

« Comme eux », dis-je.

« Tu vois ! » fit-il. Il se prépara une autre cigarette, la partagea en deux et m'en donna la moitié. « Qu'est-ce que tu fais par ici ? » demanda-t-il.

« Je cherche quelqu'un qui s'appelle Xavier, il pourrait être passé par ici. »

Tommy hocha la tête. « Mais lui, il est content que tu le cherches ? »

« Je ne sais pas. »

« Alors ne le cherche pas. »

Je tentai de lui décrire Xavier de manière détaillée. « Quand il sourit, il a l'air triste », conclus-je.

Une fille se détacha du groupe et nous appela. Tommy l'appela à son tour et elle vint vers nous. « C'est ma compagne », expliqua Tommy. C'était une blondinette, elle avait les cheveux ternes, les yeux absents, et des nattes de petite fille relevées sur la tête. Elle marchait d'une manière un peu hésitante, presque en titubant. Tommy lui demanda si elle connaissait un type comme ça et comme ça, en reprenant ma description. Elle eut un étrange sourire et ne répondit rien. Puis elle tendit les mains dans notre direction et murmura : « Hôtel *Mandovi.* »

« La fête commence », dit Tommy, « viens toi aussi. »

Nous étions assis sur le bord d'une barque

aux lignes très primitives qui avait un balancier grossier, comme les catamarans. « Je vous rejoindrai peut-être un peu plus tard », dis-je, « je vais m'étendre un peu dans le bateau et faire un petit somme. » Alors qu'ils s'éloignaient, je ne pus résister à l'envie de lui crier qu'il avait oublié de me dire si j'étais moi aussi un monsieur. Tommy s'arrêta, leva les bras et dit : « Essaie de deviner. »

« Je donne ma langue au chat, c'est trop difficile. » Je sortis mon guide et craquai des allumettes. Je le trouvai presque aussitôt. Il était indiqué comme *a popular top range hotel*, avec restaurant convenable. Localité Panaji, ex-Nova Goa, à l'intérieur. Je m'étendis au fond de la barque et me mis à regarder le ciel. La nuit était vraiment magnifique. Je suivis les constellations et pensai aux étoiles, et à l'époque où nous les étudiions et aux après-midi passés au planétarium. Soudain elles me revinrent en mémoire comme je les avais apprises, classées selon leur degré d'intensité lumineuse : Sirius, Canopus, Centaure, Véga, Capella, Arcturus, Orion... Et puis je pensai aux étoiles variables et au livre d'une personne qui m'était chère. Et puis aux étoiles éteintes, dont la lumière nous parvient encore, et aux étoiles à neutrons, et au stade final de leur évolution, et au faible rayon qu'elles émettent. Je dis à voix basse : *pulsar*. Et comme si elle avait été réveillée par mon murmure, comme si j'avais actionné un magnétophone, me parvint la voix nasale et flegmatique du professeur Stini qui disait : « Quand la masse d'une étoile agonisante est supérieure au double de la masse solaire, il n'existe plus d'état de matière capable d'arrêter la concentration, et celle-ci se poursuit à l'infini ; aucune radiation n'est plus émise par l'étoile qui se transforme ainsi en un trou noir. »

XI

Comme les choses sont drôles. L'hôtel *Mandovi* porte ce nom parce qu'il est situé juste au bord du fleuve. Le Mandovi est un fleuve large, placide, se terminant par un long estuaire bordé de plages presque marines. A gauche, il y a le port de Panaji, un port fluvial pour les petits bateaux, avec des barges chargées de marchandises, des pontons tout disjoints et une plate-forme rouillée. Et au moment où j'arrivai, la lune était en train de se lever, on aurait dit qu'elle sortait du fleuve, du bord même de la plate-forme. Elle était entourée d'un halo jaune, pleine et rouge comme du sang. Je pensai : lune rouge, et instinctivement il me vint l'envie de siffler une vieille chanson. L'idée jaillit comme une étincelle. Je pensai à un nom, Roux, et tout de suite après à cette phrase de Xavier : je suis devenu un oiseau de nuit ; et alors tout me parut si évident que c'en était idiot, et je pensai alors : pourquoi n'y ai-je pas pensé plus tôt ?

J'entrai dans l'hôtel et jetai un coup d'œil à

la ronde. Le *Mandovi* est un hôtel de la fin des années cinquante qui a l'air déjà ancien. Il a peut-être été construit à l'époque où les Portugais étaient encore à Goa. Je ne saurais pas bien expliquer pourquoi, mais il me sembla qu'il conservait la marque du goût fasciste de l'époque : peut-être à cause du hall, vaste comme la salle d'attente d'une gare, ou encore à cause de ce mobilier de bureau de poste ou de ministère, impersonnel et déprimant. Derrière le bureau de la réception se tenaient deux employés ; l'un avait une casaque à rayures, l'autre une veste noire un peu usée, et un air important. Je me dirigeai vers ce dernier et lui montrai mon passeport. « Je voudrais une chambre. »

Il consulta le registre et acquiesça d'un signe de tête.

« Avec terrasse et vue sur le fleuve », ajoutai-je.

« Bien, monsieur », dit l'employé.

« Vous êtes le directeur ? » lui demandai-je pendant qu'il remplissait la fiche.

« Non, monsieur », répondit-il, « le directeur est absent, mais vous pouvez vous adresser à moi si vous avez besoin de quoi que ce soit. »

« Je cherche Mister Nightingale », dis-je.

« Mister Nightingale n'est plus ici », dit-il très naturellement, « voilà quelque temps qu'il est parti. »

« Savez-vous où il est allé ? » demandai-je en essayant de conserver moi aussi un ton naturel.

« Normalement, il va à Bangkok », dit-il, « Mister Nightingale voyage beaucoup, c'est un homme d'affaires. »

« Oh ! je sais », dis-je, « mais il aurait pu se faire qu'il soit de retour. »

L'employé leva les yeux de la fiche qu'il remplissait et me regarda d'un air perplexe. « Je ne saurais vous le dire, monsieur », répondit-il poliment.

« Je pensais trouver dans cet hôtel quelqu'un en mesure de me renseigner plus précisément, je le cherche pour une affaire importante, je suis venu exprès d'Europe. » Je vis qu'il était gêné et j'en profitai. Je tirai de mon portefeuille un billet de vingt dollars et le glissai sous le passeport. « Les affaires coûtent cher », dis-je, « il est désagréable de faire un voyage pour rien, vous comprenez ? »

Il prit le billet et me rendit le passeport. « Maintenant Mister Nightingale descend très rarement ici », dit-il. Il prit un air contrit. « Vous savez », ajouta-t-il, « notre hôtel est un bon hôtel, mais il ne peut rivaliser avec les hôtels de luxe. » C'est à ce moment-là seulement qu'il dut se rendre compte qu'il en disait trop. Et il se rendit compte aussi que j'appréciais son bavardage. Ce fut l'affaire d'un coup d'œil, d'un instant.

« Je dois conclure une affaire urgente avec Mister Nightingale », dis-je avec la nette impression que la vanne était désormais fermée. En effet, elle l'était. « Je ne m'occupe pas des affaires de Mister Nightingale », dit-il gentiment mais avec fermeté. Puis il poursuivit sur un ton professionnel : « Combien de jours restez-vous, monsieur ? »

« Seulement cette nuit », dis-je.

Pendant qu'il me remettait la clef, je lui

demandai à quelle heure ouvrait le restaurant. Il me répondit avec empressement qu'il ouvrait à huit heures et demie, et que je pouvais dîner à la carte ou me servir au buffet qui allait être dressé au centre de la salle. « Au buffet, il n'y a que de la cuisine indienne », précisa-t-il. Je le remerciai et pris la clef. Alors que j'étais déjà à la porte de l'ascenseur, je revins sur mes pas et lui posai innocemment une question : « J'imagine que Mister Nightingale dînait à l'hôtel, quand il logeait ici. » Il me regarda sans bien comprendre. « Certainement », répondit-il avec fierté, « notre restaurant est un des meilleurs de la ville. »

En Inde les vins sont très chers, car ils sont presque tous importés d'Europe. Boire du vin, même dans un bon restaurant, est une marque de prestige. D'ailleurs, mon guide le disait : commander du vin requiert l'intervention du maître d'hôtel. Je misai donc sur le vin.

Le maître d'hôtel était un homme replet, avec des cernes sous les yeux et des cheveux gominés. Sa prononciation des vins français était catastrophique, mais il tint à en faire étalage pour décrire les caractéristiques de chaque cru. J'eus l'impression qu'il improvisait un peu, mais je laissai faire. Je le fis attendre un bon moment, en étudiant la carte. Je savais que j'étais en train de me ruiner, mais après cela je ne voulais plus dépenser d'argent pour cette affaire : je pris un billet de vingt dollars et le posai dans la carte que je refermai et lui tendis. « C'est un choix difficile », dis-je, portez-moi le vin que choisirait Mister Nightingale. »

Il ne broncha pas. Il s'éloigna d'un air suffisant et revint avec une bouteille de rosé de Provence. Il la déboucha avec soin et en versa deux doigts pour que je goûte. Je goûtai donc et ne me prononçai pas. Je jugeai que le moment était venu de tenter ma dernière chance. Je bus encore une gorgée et dis : « Je crois savoir que Mister Nightingale exige la meilleure qualité, qu'en pensez-vous ? »

Il regarda la bouteille avec des yeux inexpressifs. « Je ne sais pas, monsieur, cela dépend des goûts », répondit-il d'un air détaché.

« Il se trouve que je suis moi aussi très exigeant », dis-je, « je n'achète que du premier choix. » Je marquai un temps d'arrêt pour donner plus d'emphase et, en même temps, un ton plus confidentiel à ce que je disais. J'avais l'impression d'être dans un film et le jeu commençait à me plaire. La tristesse viendrait après, je le savais. « J'aime les choses très raffinées », dis-je enfin, en soulignant le mot, « et en quantité suffisante, pas au compte-gouttes. »

Il regarda de nouveau mon verre de façon inexpressive et me renvoya la balle. « J'en déduis que le vin n'est pas à votre goût, monsieur. »

Je regrettai qu'il ait fait monter l'enjeu. Mes finances touchaient à leur fin, mais désormais cela valait la peine d'aller jusqu'au bout. Par ailleurs j'étais certain que le Père Pimentel pourrait me prêter de l'argent. J'acceptai donc ce nouvel enjeu et dis : « Rapportez-moi la carte, je vais choisir quelque chose de meilleur. »

Il m'ouvrit la carte sur la table et j'y glissai un autre billet de vingt dollars. Ensuite j'indiquai un vin au hasard et dis : « Croyez-vous que ce vin-là plairait à Mister Nightingale ? »

« J'en suis sûr », répondit-il avec empressement.

« J'aimerais vraiment lui poser la question de vive voix », dis-je, « que me conseilleriez-vous ? »

« Si j'étais à votre place, je chercherais un bon hôtel sur la côte », dit-il.

« Il y a beaucoup d'hôtels sur la côte, il est difficile de trouver le bon. »

« En ce qui concerne les meilleurs, il n'y en a que deux », répondit-il, « il est impossible de se tromper, ce sont le *Fort Aguada Beach* et l'*Oberoi*. Ils sont tous les deux très bien situés, avec une plage merveilleuse et des palmiers qui arrivent jusqu'au bord de l'eau. Je suis sûr qu'ils vous plairont tous les deux. »

Je me levai et me dirigeai vers le buffet. Il y avait une dizaine de plats sur les réchauds à alcool, je me servis au hasard, en grappillant çà et là. Je m'arrêtai un instant devant la fenêtre ouverte, mon assiette à la main. La lune était déjà haute et se reflétait dans le fleuve. J'étais maintenant gagné par la mélancolie, comme je l'avais prévu. Je m'aperçus que je n'avais pas faim. Je traversai la salle et me dirigeai vers la sortie. Quand je passai devant lui, le maître d'hôtel s'inclina légèrement. « Pour le vin, faites-le-moi servir dans la chambre », dis-je, « je préfère le boire sur la terrasse. »

XII

« Excusez-moi pour la banalité de ce que je vais dire, mais j'ai l'impression que nous nous connaissons », dis-je. Je levai mon verre et le fis tinter contre le sien qui était posé sur le bar. La fille rit et dit : « J'ai cette impression, moi aussi, vous ressemblez étrangement au monsieur avec qui je suis venue en taxi de Panaji, ce matin. »

Je ris moi aussi. « Alors, inutile de jouer la comédie, c'est bien moi. »

« Savez-vous que ça a été une excellente idée, de partager le prix de la course », ajouta-t-elle, pratique. « Les guides disent qu'en Inde les taxis sont très bon marché, en fait, ils coûtent les yeux de la tête. »

« Je vous conseillerai un guide fiable », assurai-je d'un air bien informé. « Notre taxi a fait cette course en dehors de la ville, ce qui triple le prix. Moi, j'avais loué une voiture mais j'ai été obligé de la laisser, c'était trop cher. De toute façon, ce que j'y ai gagné avant tout, c'est de faire le trajet en si charmante compagnie. »

« Stop », dit-elle, « ne profitez pas de la nuit tropicale et de cet hôtel au milieu des palmiers. Je suis très sensible aux compliments et je vous laisserais me faire la cour sans opposer de résistance, ce ne serait pas loyal de votre part. » Elle leva son verre elle aussi et nous rîmes encore.

La description enchanteresse du maître d'hôtel du *Mandovi* était bien au-dessous de la réalité. L'*Oberoi* était plus qu'enchanteur. C'était une construction blanche en forme de demi-lune qui suivait exactement la courbe de la plage sur laquelle il s'élevait, une crique protégée au nord par un promontoire et au sud par un banc de récifs. La salle principale était un immense espace directement ouvert sur la terrasse ; le bar, qui pouvait être utilisé des deux côtés, faisait office de séparation. Sur la terrasse les tables étaient dressées pour le dîner, décorées de fleurs et de bougies. Un piano, dissimulé quelque part dans l'obscurité, jouait en sourdine des mélodies occidentales. En y repensant, l'ensemble sentait un peu trop le tourisme de luxe, mais à ce moment-là ce n'était pas pour me déplaire. Les premiers dîneurs commençaient déjà à prendre place aux tables de la terrasse. Je dis au garçon de nous réserver une table d'angle, dans un endroit discret et un peu sombre, puis je proposai de prendre un autre apéritif.

« Pourvu qu'il soit sans alcool », dit la jeune femme. Puis elle ajouta sur le ton de la plaisanterie : « Il me semble que vous allez un peu vite qu'est-ce qui vous fait croire que j'accepterai votre invitation à dîner ? »

« A dire la vérité, je n'avais pas l'intention de vous inviter », avouai-je ingénument, « je n'ai presque plus d'argent, chacun paiera sa part. Nous dînons tout simplement à la même table : nous sommes seuls, et nous nous tenons mutuellement compagnie, cela me paraissait logique. »

Elle ne dit rien et se contenta de boire le jus d'orange que le garçon nous avait servi. « Et, de toute façon, il n'est pas vrai que nous ne nous connaissons pas », ajoutai-je, « nous avons fait connaissance ce matin. »

« Nous ne nous sommes même pas présentés », objecta-t-elle.

« C'est un oubli que l'on peut facilement réparer », dis-je, « je m'appelle Roux. »

« Moi je m'appelle Christine », dit-elle. Et elle ajouta : « ce n'est pas un nom italien, n'est-ce pas ? »

« Qu'est-ce que ça peut faire ? »

« Rien, en effet », admit-elle. Elle soupira et dit : « Vous avez une façon tout à fait irrésistible de faire la cour. »

J'admis que je n'avais pas la moindre intention de lui faire la cour, que j'avais plutôt dans l'idée un repas et une conversation sur le ton de la camaraderie, d'égal à égal. Enfin, quelque chose de ce genre. Elle me regarda d'un air faussement suppliant, et protesta, toujours sur le même ton moqueur : « Oh non ! faites-moi la cour, je vous en prie, dites-moi des choses très gentilles, parlez-moi de jolies choses, j'en ai terriblement besoin. » Je lui demandai d'où elle venait. Elle regarda la mer et dit : « De Calcutta. Je suis passée à Pondichéry pour un article idiot sur mes concitoyens qui vivent encore là-bas, mais j'ai travaillé un mois à Calcutta. »

« Qu'est-ce que vous faisiez à Calcutta ? »

« Je photographiais l'abjection », répondit Christine.

« C'est-à-dire ? »

« La misère », dit-elle, « la dégradation, l'horreur, appelez ça comme vous voulez. »

« Pourquoi est-ce que vous l'avez fait ? »

« C'est mon métier », dit-elle, « on me paie pour ça. » Elle fit un geste qui signifiait peut-être qu'elle était résignée à cette profession à laquelle elle avait consacré sa vie, puis elle me demanda : « Vous n'êtes jamais allé à Calcutta ? »

Je fis non de la tête. « N'y allez pas », dit Christine, « ne faites jamais cette erreur. »

« J'aurais cru qu'une personne comme vous pensait que, dans la vie, il faut voir le plus de choses possible. »

« Non », dit-elle avec conviction, « il faut en voir le moins possible. »

Le serveur nous fit signe que notre table était prête et nous précéda jusqu'à la terrasse. C'était une bonne table d'angle, comme je l'avais demandé, un peu à l'écart, près des haies qui bordaient la terrasse. Je demandai à Christine si je pouvais me mettre à sa gauche, de manière à voir les autres tables. Le serveur était prévenant et très discret, comme le sont les serveurs des hôtels de la classe de l'*Oberoi*. Est-ce que nous préférions de la cuisine indienne, ou le barbecue ? Il n'avait pas l'intention de nous influencer, naturellement, mais les pêcheurs de

Calangute avaient apporté aujourd'hui même des paniers de langoustes, elles étaient toutes là, prêtes à être cuisinées, au fond de la terrasse, là où l'on voyait le chef avec sa toque blanche et la lueur du feu de braises en plein air. Profitant de l'occasion qu'il me donnait, je parcourus du regard la terrasse, les tables, les dîneurs. La lumière était assez faible, sur chaque table il y avait des bougies, mais on pouvait distinguer les gens, si l'on faisait un peu attention.

« Je vous ai dit ce que je fais moi », dit Christine, « et vous, que faites-vous ? si vous voulez me répondre, bien sûr. »

« Eh bien, supposons que je suis en train d'écrire un livre, par exemple. »

« Un livre comment ? »

« Un livre. »

« Un roman ? » demanda Christine en me jetant un regard malicieux.

« Quelque chose de ce genre. »

« Alors vous êtes romancier », dit-elle avec une certaine logique.

« Oh non », dis-je, « il s'agit seulement d'une expérience, comme métier je fais autre chose, je cherche des rats morts. »

« Pardon ? ! »

« Je plaisantais », dis-je. « Je fouille dans de vieilles archives, je cherche des chroniques anciennes, des choses englouties par le temps. C'est mon métier, j'appelle ça les rats morts. »

Christine me regarda avec indulgence, et peut-être une pointe de déception. Le serveur vint, empressé, et nous apporta des petites soucoupes pleines de sauces diverses. Il nous demanda si nous voulions du vin et nous répondîmes affirmativement. La langouste arriva, toute fumante, grillée dans sa carapace, la chair arrosée de beurre fondu. Les sauces étaient très fortes, une seule goutte suffisait pour mettre la bouche en feu. Mais ensuite l'impression de brûlure s'atténuait et le palais se remplissait de saveurs exquises et insolites : du genièvre d'abord, et puis des épices inconnues. Nous arrosâmes très soigneusement notre langouste de ces sauces, et nous levâmes nos verres. Christine m'avoua qu'elle se sentait déjà un peu ivre, peut-être l'étais-je moi aussi, mais je ne m'en rendais pas compte.

« Allez, racontez-moi le roman », dit-elle à un moment donné, « je suis très intriguée, ne me faites pas languir. »

« Mais ce n'est pas un roman », protestai-je, « il y a un bout par-ci, un bout par-là, il n'y a même pas une véritable histoire, ce sont seulement des fragments d'histoire. Et puis je ne l'écris pas, j'ai dit *supposons* que je sois en train de l'écrire. »

Nous avions tous les deux faim, c'était évident. La carapace de la langouste était déjà vide et le serveur arriva rapidement. Nous commandâmes autre chose, en lui laissant le soin de choisir, mais en précisant que nous voulions quelque chose de léger, et il acquiesça d'un air entendu.

« Il y a quelques années, j'ai publié un livre de photos », dit Christine. « C'était une pellicule entière, dans son déroulement, le livre a été très bien imprimé, exactement comme je le voulais, les bords de la pellicule étaient reproduits, il n'y avait pas de légendes, rien que des photos. Ça commençait par une photo que je considère comme la plus réussie de toute ma carrière, je vous l'enverrai si vous me laissez votre adresse, c'était un agrandissement, la photo reproduisait un jeune Noir, on ne voyait que le buste ; un maillot de corps avec un texte publicitaire, sur le visage une expression d'effort intense, les mains levées dans un geste victorieux : il est de toute évidence en train de franchir la ligne d'arrivée, le cent mètres par exemple. » Elle me regarda d'un air un peu mystérieux, attendant que je réagisse.

« Et alors ? » dis-je, « où est le mystère ? »

« La seconde photo », dit-elle. « C'était la photo entière. A gauche, il y a un policier habillé comme un martien, avec un casque en plexiglas sur le visage, des bottes montantes, le fusil épaulé, des yeux féroces sous la visière féroce. Il est en train de tirer sur le Noir. Et le Noir s'échappe, les bras levés, mais il est déjà mort : une seconde après que j'avais appuyé sur le déclic, il était déjà mort. » Elle ne dit rien d'autre et continua à manger.

« Dites-moi la suite », dis-je, « maintenant il faut finir l'histoire. »

« Mon livre s'appelait *Afrique du Sud* et il y avait une seule légende, sous la première photo que je vous ai décrite, l'agrandissement. C'était : *Méfiez-vous des morceaux choisis* [1]. » Elle fit une petite grimace et ajouta : « Pas de morceaux choisis, s'il vous plaît, racontez-

1. En français dans le texte. *(N.d.T.)*

moi le sujet de ce livre, je veux en connaître l'idée directrice. »

J'essayai de réfléchir. A quoi pouvait ressembler mon livre ? Il est difficile d'expliquer l'idée directrice d'un livre. Christine me regardait d'un air implacable, c'était une fille têtue. « Disons que dans le livre, je serais une personne qui s'est perdue en Inde », dis-je rapidement, « l'idée, c'est cela. »

« Ah ! » dit Christine, « ça ne suffit pas, vous ne pouvez pas vous en tirer comme ça, le sujet, ça ne peut pas être *seulement* ça. »

« Le sujet, c'est que dans ce livre, moi, je suis quelqu'un qui s'est perdu en Inde », répétai-je, « disons les choses comme ça. Il y a quelqu'un qui est en train de me chercher, mais moi, je n'ai pas du tout l'intention de me laisser trouver. L'autre, moi je l'ai vu arriver, je l'ai suivi jour par jour, pour ainsi dire. Je connais ses préférences et ses dégoûts, ses désirs et ses méfiances, ses ardeurs et ses peurs. Je l'ai pratiquement sous mon contrôle. Lui, au contraire, il ne sait presque rien de moi. Il a quelque vague indice : une lettre, des témoignages confus ou réticents, un petit mot très vague : des signaux, des petits morceaux qu'il tente péniblement de recoller. »

« Mais vous, qui êtes-vous ? » demanda Christine, « dans le livre, je veux dire. »

« Ça n'est pas dit », répondis-je, « je suis quelqu'un qui ne veut pas qu'on le trouve, donc ça ne fait pas partie du jeu de dire qui c'est. »

« Et celui qui vous cherche et que vous

semblez si bien connaître », demanda encore Christine, « celui-là, il vous connaît ? »

« Autrefois il me connaissait, supposons que nous ayons été de grands amis, il y a longtemps. Mais cela se passait il y a très longtemps, hors du cadre de cette histoire. »

« Et lui, pourquoi vous cherche-t-il avec autant d'insistance ? »

« Qui sait », dis-je, « c'est difficile à savoir, moi-même, qui écris, je ne le sais pas. Peut-être cherche-t-il un passé, une réponse à quelque chose. Peut-être voudrait-il saisir quelque chose qui, autrefois, lui a échappé. D'une certaine façon, il se cherche lui-même. C'est-à-dire qu'en me cherchant, c'est comme s'il se cherchait lui-même : ça arrive souvent dans les livres, c'est de la littérature. » Je marquai un temps d'arrêt, comme s'il s'agissait d'un moment crucial, et je dis d'un ton confidentiel : « Vous savez, en réalité il y a aussi deux femmes. »

« Ah, enfin ! » s'exclama Christine, « ça commence à devenir intéressant ! »

« Malheureusement non », poursuivis-je, « parce qu'elles aussi, elles sont en dehors du cadre, elles ne font pas partie de l'histoire. »

« Oh là là ! » dit Christine, « mais, dans ce livre, tout est en dehors du cadre ? Vous pouvez me dire ce qu'il y a dans le cadre ? »

« Il y a un homme qui en cherche un autre, je vous l'ai dit, il y a quelqu'un qui me cherche, le livre, c'est sa recherche. »

« Bon, alors racontez-la-moi un peu mieux que ça ! »

« D'accord », dis-je, « voilà comment ça commence : il arrive à Bombay, il a l'adresse d'un hôtel borgne où j'ai logé longtemps et il se met à chercher. Là, il rencontre une fille qui m'a connu à une époque et elle lui apprend que je suis tombé malade, que je suis allé à l'hôpital, et enfin que j'avais des contacts avec des gens du Sud de l'Inde. Alors, il me cherche à l'hôpital, qui se révèle en fait être une fausse piste, ensuite il quitte Bombay et commence un voyage, mais en réalité il voyage pour d'autres raisons. Le livre, c'est surtout cela : son voyage. Il fait toute une série de rencontres, bien sûr, parce qu'en voyage on rencontre des gens. Il arrive à Madras, il visite la ville, les temples des environs, dans une société d'études il trouve une vague trace de moi. Et finalement il arrive à Goa où, de toute façon, il devait aller, pour des raisons à lui. »

Maintenant Christine m'écoutait d'un air absorbé, elle suçait un bâtonnet de menthe et me regardait. « A Goa », dit-elle, « à Goa justement, intéressant. Et là, qu'est-ce qui se passe ? »

« Là, il y a beaucoup d'autres rencontres », continuai-je, « il erre un peu par-ci, un peu par-là, et puis un soir, il arrive dans une petite ville, et là, il comprend tout. »

« Tout quoi ? »

« En fait », dis-je, « il ne me trouvait pas pour une raison toute simple, parce que j'avais pris un autre nom. Et ce nom, il arrive à le découvrir. Au fond, ce n'était pas impossible de le découvrir, parce que c'est un nom qui avait un rapport avec lui, autrefois. Sauf que ce nom, je l'avais renversé, transposé. Je ne sais pas comment il est arrivé à le deviner, mais le fait est qu'il y est arrivé, peut-être par hasard. »

« Et quel est ce nom ? »

« Nightingale », dis-je.

« Beau nom », dit Christine, « continuez. »

« Bien, alors là, évidemment il réussit à savoir où je suis, en faisant croire qu'il a une affaire importante à traiter avec moi : quelqu'un lui dit que je suis dans un hôtel de luxe de la côte, un endroit dans le genre de celui-ci. »

« Oh là là ! » dit Christine, « à partir de maintenant, il faut que vous racontiez vraiment bien, nous sommes dans le décor. »

« Oui », dis-je, « justement, comme décor je prends cet hôtel. Supposons que ce soit un soir comme aujourd'hui, chaud et parfumé, hôtel raffiné, au bord de la mer, grande terrasse avec petites tables et bougies, musique en sourdine, serveurs affairés, prévenants et discrets, mets de choix, bien sûr, et cuisine internationale. Moi, je suis à une table avec une jolie femme, quelqu'un comme vous, qui a l'air étranger, nous sommes à une table du côté opposé à celui où nous nous trouvons en ce moment, la femme est tournée vers la mer, moi au contraire je regarde les autres tables, nous causons aimablement, la femme rit de temps à autre, cela se voit à ses épaules, exactement comme vous. A un certain moment... » Je me tus et regardai la terrasse, laissant mon regard courir sur les personnes qui dînaient aux autres tables. Christine avait cassé le petit bâton de menthe, et le gardait au coin de la bouche, comme une cigarette, avec un air de profonde attention. « A un certain moment ? » demanda-t-elle. « Qu'est-ce qui se passe à un certain moment ? »

« A un certain moment, je le vois. Il est à une table, au fond, de l'autre côté de la terrasse. Il est dans la même position que moi, nous sommes face à face. Lui aussi il est avec une femme, mais elle me tourne le dos et je ne peux pas voir qui c'est. Peut-être que je la connais, ou que je crois la connaître, elle me rappelle une personne, et même deux personnes, ça pourrait aussi bien être l'une que l'autre. Mais comme ça, de loin, à la lueur des bougies, c'est difficile à dire, et puis la terrasse est très grande, exactement comme celle-ci. Il dit certainement à la dame de ne pas se retourner, il me regarde longuement, sans bouger, il a l'air satisfait, presque souriant. Peut-être croit-il, lui aussi, reconnaître la personne qui est avec moi, elle lui rappelle une personne, et même deux personnes, ça pourrait aussi bien être l'une que l'autre. »

« Finalement, l'homme qui vous cherchait a réussi à vous trouver », dit Christine.

« Pas exactement », dis-je, « ce n'est pas tout à fait ça. Il m'a longtemps cherché, et maintenant qu'il m'a trouvé, il n'a plus envie de me trouver, excusez le jeu de mots, mais c'est comme ça. Et moi, de mon côté, je n'ai pas envie qu'il me trouve. Tous les deux, nous pensons exactement la même chose, et nous nous contentons de nous regarder. »

« Et alors ? » dit Christine, « qu'est-ce qui se passe d'autre ? »

« Il se passe que l'un de nous deux finit de boire son café, plie sa serviette, ajuste sa cravate — supposons qu'il ait une cravate —, fait signe au serveur, paie l'addition, se lève, tire courtoisement la chaise de la dame qui est avec lui, et s'en va. C'est tout, le livre est fini. »

Christine me regarda d'un air peu convaincu. « Je trouve que c'est une fin un peu plate », dit-elle en posant sa tasse.

« Oui, je trouve moi aussi », dis-je tout en posant également ma tasse, « mais je ne vois pas d'autre solution. »

« Fin du récit, fin du repas », dit Christine, « ça coïncide. »

Nous allumâmes une cigarette, et je fis signe au serveur. « Ecoutez, Christine », dis-je, « il faut m'excuser mais j'ai changé d'avis, ce repas, je voudrais vous l'offrir, je crois que j'ai assez d'argent. »

« Pas du tout », protesta-t-elle, « l'accord était clair, repas entre amis et frais partagés. »

« Je vous en prie », insistai-je, « acceptez cela comme une excuse pour vous avoir ennuyée. »

« Mais moi, je me suis beaucoup amusée », répliqua-t-elle, « j'insiste pour que nous partagions. »

Le serveur s'approcha de moi et me chuchota quelque chose à voix basse, puis s'éloigna de son pas feutré. « Ce n'est pas la peine de discuter », dis-je, « le repas est déjà payé, il nous est offert par un client de l'hôtel qui désire rester anonyme. »

Elle me regarda d'un air stupéfait : « Ce doit être un de vos admirateurs », dis-je, « quelqu'un de plus galant que moi. »

« Ne dites pas de bêtises », dit Christine.

Puis elle prit un air faussement vexé. « Ce n'est pas loyal », dit-elle, « vous vous étiez mis d'accord avec le serveur. »

Les couloirs qui menaient aux chambres étaient couverts d'un auvent de bois brillant, comme une galerie de cloître, qui donnait sur la végétation sombre qui poussait derrière l'hôtel. Nous étions sans doute parmi les premiers à nous retirer, les gens étaient restés sur les chaises longues de la terrasse à écouter la musique. Nous marchions côte à côte, en silence, au fond de la galerie une grosse phalène voleta un instant.

« Il y a quelque chose qui ne me plaît pas dans votre livre », dit Christine, « je ne sais pas quoi, mais ça ne me plaît pas. »

« Je comprends, c'est la même chose pour moi », répondis-je.

« Ecoutez », dit Christine, « vous êtes toujours d'accord avec les critiques que je vous fais, c'est insupportable. »

« Mais j'en suis tout à fait convaincu », assurai-je, « c'est vrai. Ça doit être un peu comme dans votre photo, l'agrandissement fausse le contexte, il faut voir les choses de loin. Méfiez-vous des morceaux choisis [1]. »

« Combien de temps restez-vous ? » me demanda-t-elle.

« Je pars demain. »

« Déjà ? »

« Mes rats morts m'attendent », dis-je, « à

---

1. En français dans le texte. *(N.d.T.)*

chacun son travail. » Je cherchai à imiter le geste de résignation qu'elle avait fait en parlant de son travail. « Moi aussi on me paie pour ça. »

Elle sourit et glissa la clef dans la serrure.

TABLE

Nocturne indien

ACHEVÉ D'IMPRIMER SUR LES PRESSES
DE COX & WYMAN LTD. (ANGLETERRE)

N° d'édition : 1819.
Dépôt légal : mars 1988.
Nouveau tirage : avril 1993.
Imprimé en Angleterre.